肝硬変の成因別実態

2018

監修：日本肝臓学会
　　　西口修平
編集：上野義之
　　　日浅陽一
　　　榎本平之

医学図書出版

序

　本書は，2018年6月14日，15日に大阪にて開催された第54回日本肝臓学会総会でのポスターシンポジウム「肝硬変の成因別実態」の発表演題をまとめたものです．総会会長を仰せつかった時に，熟考を重ね多くのセッションを設けましたが，肝硬変の成因を全国集計するこの企画は，個人的にも思い入れが深く会長として最も力を注いだテーマです．

　その理由の一つは，HCVの新薬の登場によりC型肝硬変であってもほぼ全員がSVRを達成できるようになり，ウイルス性肝炎は今後の研究の方向性が問い直される時代となってきたことです．これに追い打ちをかけるように，WHOは，肝炎ウイルスに関する知識向上と検査や治療へのアクセス向上に早急な行動を起こすことを促し，2030年までに肝炎ウイルスの撲滅を宣言したのです．日本はどの先進国と比較しても，国主導で徹底した肝炎対策が行われてきました．このため，わが国でC型肝硬変の実数が減少していることを，全国集計によって世界に先駆けて明らかにしたいと思いました．第二の理由は，私の恩師である大阪市立大学の故山本祐夫教授は，1983年の日本消化器病学会を主宰された際に，初めて肝硬変の成因別分類を取り上げられ，私もその集計に関わったことです．以後，このテーマは肝臓学会において定期的に取り上げられ，わが国の肝硬変の成因の変遷が明らかにされてきました．直近では，泉　並木会長が主催された第50回日本肝臓学会総会においてもポスターシンポジウムが行われ，その結果は成書として出版されています．

　今回は，全国の68施設から演題が集まりました．全国を8地区に分けて，地区ごとに発表をいただきました．地区司会者にはその地区の成績も集計していただき，その特徴を翌日のオーラルセッションでご発表いただきました．その際の基調講演は武蔵野赤十字病院の黒崎雅之先生にお願いし，今回の全体集計の結果との比較のために第50回日本肝臓学会までの集計結果を紹介いただきました．

　この一連の企画は，山形大学上野義之教授と愛媛大学日浅陽一教授に取り仕切っていただき，教室の榎本平之准教授が実務を担当致しました．今回，本書をまとめるにあたり，座長の3名の先生方を始め，原稿をお願いした多くの先生方に改めて感謝を申し上げます．これらの成果は，さらに詳細な検討を加え，国際的な学術誌への投稿を考えております．

　2019年3月

第54回日本肝臓学会総会　会長
兵庫医科大学肝胆膵科　主任教授　西口修平

目　次

	セッションの概要について	榎本　平之, 他	1
○ 1	北海道大学における肝硬変の成因別実態	小川　浩司, 他	3
2	当院における肝硬変の成因別実態	小林　智絵, 他	7
3	当院における肝硬変の成因別実態 —MR Elastography・IDEAL IQ による非侵襲的評価を中心に—	鈴木　康秋, 他	9
4	当科における肝硬変の成因および合併症の実態	巽　　亮二, 他	11
5	当院における肝硬変の成因別実態	寺下　勝巳, 他	13
6	北海道旭川市における肝硬変成因別実態	長谷部拓夢, 他	15
7	北海道の地方病院における肝硬変の成因別実態	久居　弘幸, 他	17
8	肝硬変の成因別実態と変遷	山本　恭史, 他	19
9	当院における肝硬変の成因別実態	山本　義也, 他	21
10	当科における肝硬変の成因および臨床的特徴 —東日本大震災がもたらした変化—	岡井　　研, 他	23
11	東北大学消化器内科入院患者における過去十三年の肝硬変成因の推移と疾患別特徴	嘉数　英二	26
12	当科における肝硬変の成因別実態	川合　弘一, 他	28
○13	秋田県における肝硬変の成因別実態	後藤　　隆, 他	30
14	当科における肝硬変の成因別実態と合併症の特徴	水野　　恵, 他	33
15	当科における肝硬変の成因別実態	宮坂　昭生, 他	36
16	慢性肝障害成因別肝硬変移行率・肝発癌・急性非代償化および生命予後の検討	伊倉　顕彦, 他	38
17	東京医科大学茨城医療センターにおける肝硬変の成因別実態	上田　　元, 他	40
18	入院患者における肝硬変の成因別実態	内田　党央, 他	43
19	5年間における肝硬変と肝細胞癌の成因の変遷	大川　　修, 他	45
○20	虎の門病院肝臓内科における肝硬変の成因別実態	小笠原暢彦, 他	47
21	当施設における肝硬変の成因別実態	金澤　芯依, 他	51
○22	当科における肝硬変の成因別実態調査	児玉　和久, 他	53
23	当科における肝硬変の成因別実態	鈴木雄一朗, 他	57
24	当院における肝硬変の成因別実態	髙浦　健太, 他	59
25	群馬県における肝硬変の成因別実態	滝澤　大地, 他	61
26	当科における肝硬変成因別実態	津久井舞未子, 他	64
27	当院における肝硬変の成因別実態	平石　哲也, 他	66
28	当院における自己免疫性肝炎，原発性胆汁性胆管炎による肝硬変の現状	安井　　伸, 他	68

○地区座長により選定された優秀演題

○29	当院における食道静脈瘤初回治療を施行した肝硬変症例の成因別実態と長期予後の検討		今井　径卓, 他	70
30	当科における肝硬変の成因別実態		織田　典明, 他	74
31	当科における肝硬変の成因別実態		佐藤　俊輔, 他	77
32	長野県における肝硬変の成因実態		杉浦　亜弓, 他	80
33	当院における肝硬変の成因別実態		竹内真実子, 他	82
34	当科における肝硬変の成因別実態		根本　朋幸, 他	84
35	当院での肝硬変成因別実態		野尻　俊輔, 他	86
36	三重県中勢地区における肝硬変の成因別実態		長谷川浩司, 他	88
○37	当院における肝硬変症の成因別実態		三宅　　望, 他	90
38	当施設における肝硬変の成因別分類		村岡　　優, 他	94
39	当院における肝硬変の成因別実態の経年的変化と成因別の傾向		大﨑　理英, 他	96
40	当院にて入院加療を要した肝硬変患者における成因別実態		北田　隆起, 他	98
41	当院における肝硬変の成因別実態		清水　　聡, 他	100
42	当院における肝硬変症例の成因別実態		大工　和馬, 他	102
○43	当科における肝硬変の成因別実態		高嶋　智之, 他	104
44	C型肝硬変 SVR 後生命予後の実態		中野　重治, 他	107
45	肝硬変の成因別実態		原　　　祐, 他	109
46	Transient elastography による肝硬変診断と成因別実態		藤井　英樹, 他	111
47	当科における肝硬変の成因別実態		藤本　正男, 他	114
48	当院における肝硬変の成因別実態		堀江　真以, 他	118
49	当院における肝硬変の成因別実態		田所　智子, 他	120
○50	当院における肝硬変の成因別実態		筒井　朱美, 他	122
○51	当科における肝硬変の成因別分類		渡辺　崇夫, 他	126
○52	当科の肝硬変の成因別実態		相方　　浩, 他	130
53	山陰地方における肝硬変の成因別実態		大山　賢治, 他	133
54	島根県における肝硬変の成因別実態の変遷		佐藤　秀一, 他	135
○55	当院における肝硬変の実態と経時的変化の検討		久永　拓郎, 他	137
56	地方都市における肝硬変の成因別実態		本田　洋士, 他	141
57	当院における肝硬変の成因		安中　哲也, 他	143
58	当院における肝硬変の成因別実態		湧田　暁子, 他	145
59	肝炎ウイルス感染の歴史的高浸淫地域においても非B非C肝硬変が増加している		秋山　　巧, 他	147
○60	沖縄県における肝硬変の成因別実態		新垣　伸吾, 他	150
61	当院における肝硬変患者の実態		大座　紀子, 他	154
62	肝硬変の実態調査：成因別特徴と肝癌危険因子の解析		川口　　巧, 他	156
○63	当科における11年間の肝硬変症例の臨床的特徴に関する検討		所　　征範, 他	158
64	当科における肝硬変の成因別実態		森内　昭博, 他	162
65	当科における肝硬変の成因別実態		吉丸　洋子, 他	164

セッションの概要について

*1 兵庫医科大学内科学肝・胆・膵科　*2 愛媛大学消化器・内分泌・代謝内科学　*3 山形大学医学部第二内科
*4 札幌厚生病院肝臓内科　*5 岩手医科大学医学部内科学講座消化器内科肝臓分野
*6 東京女子医科大学病院消化器内科　*7 済生会新潟第二病院消化器内科
*8 京都府立医科大学大学院医学研究科消化器内科　*9 岡山大学大学院医歯薬学総合研究科消化器・肝臓内科学
*10 香川県立中央病院肝臓内科　*11 鹿児島大学大学院医歯学総合研究科消化器疾患・生活習慣病学
*12 武蔵野赤十字病院消化器科

榎本　平之[*1]　日浅　陽一[*2]　上野　義之[*3]　髭　　修平[*4]　滝川　康裕[*5]
谷合麻紀子[*6]　石川　　達[*7]　安居幸一郎[*8]　高木章乃夫[*9]　高口　浩一[*10]
井戸　章雄[*11]　黒崎　雅之[*12]　西口　修平[*1]

はじめに

本集計は2018年6月に大阪で開催された，第54回日本肝臓学会総会のポスターシンポジウムとして企画された内容の抜粋である．肝硬変の成因分類はこれまでの学会でも取りあげられ，全国的な動向の把握に貢献してきた．今回は肝硬変の成因別実態の調査に加え，北海道・東北・関東・中部・近畿・中国・四国・九州（沖縄県含む）でのデータについても集計した．本企画については初日のポスターセッションで地区ごとに分かれて討議が行われた．次いで2日目の午前のセッションでは前回までのまとめ，各座長の先生方による担当地区に関するまとめがあり，さらに全体データのまとめから総括へと進んだ．

実施経過

肝硬変あるいはその成因についての絶対的な基準はないため，今回の企画では「肝臓学会編集の2つの本」を拠り所とした．すなわち成因分類に関しては「慢性肝炎・肝硬変の診療ガイド2016（文光堂：日本肝臓学会編集）」に準じ，1）ウイルス性肝炎，2）アルコール性，3）自己免疫性，4）胆汁うっ滞型，5）代謝性，6）うっ血性，7）薬物性，8）特殊な感染症，9）非アルコール性脂肪肝炎（NASH），10）原因不明の10種とした．また各原因疾患の診断には「肝臓専門医テキスト改訂第2版（南江堂：日本肝臓学会編集）」に基づくものとした．

なお，1）のウイルス性肝炎については，これまでの調査と同様にHBV，HCV，HBVとHCVの重複感染に分けて扱うこととした．また診療ガイドに基づきNASHについては臨床的疑診例を含むものとし，また軽度ないし中等度の飲酒歴を有し，NASHとアルコール性のいずれにも分類されない脂肪肝炎に起因すると推定される症例は10）の原因不明として扱うこととした．

なお本企画は全国的な動向の概要を把握するためのものであり，今回の結果は施設ごとに様々な診断年度の症例が含まれたデータの合算である．今後年代別に分類が可能な症例に限定しての集計などにより，より詳細なデータに基づく報告を別途予定している．

結果の概要

1. 全体データについて

本企画では合計68の演題応募をいただいた．学会開催時点で集計された50,903例を対象に肝硬変の成因別分類を検討した（図1）．2014年の第50回本肝臓学会総会（泉並木 会長）で実施された全国集計[1]と比較すると，この4年間でHCVが53.3%→49.2%と減少したが，肝硬変の成因としては依然として最も高い頻度を占めていた．また2位はアルコールで19.4%，3位はHBVで11.8%，

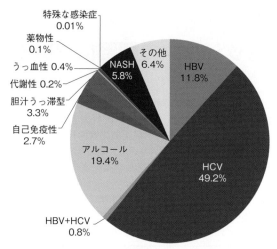

図1　肝硬変の成因別分類（全体集計）

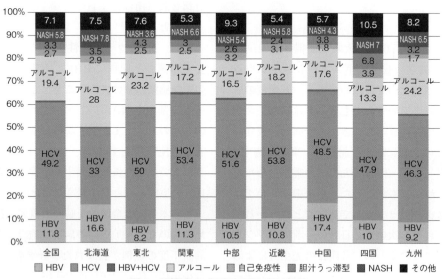

図2　肝硬変の成因別分類（地域別）

NASHは5.8%という結果であった。なお2008年第44回日本肝臓学会総会での全国集計（恩地森一会長）[2]と比較して，NASHによる肝硬変の比率は10年で2.2%から5.8%に増加していた。

2．地区別データについて

地域別の解析では北海道はHCVの比率が低く，アルコール，HBVの比率が相対的に高い結果であった。またHBVの比率が北海道と中国で高く，アルコールの比率は北海道・東北・九州で高い結果であった。また自己免疫性は中部・近畿・四国で，胆汁うっ滞性は四国で高く，NASHは北海道・関東・四国・九州で6%以上と高い結果であった。ウイルスやアルコールなどについても地域ごとの特徴を有していた（図2）。

参考文献

1) 肝硬変の成因別実態2014，泉　並木監修，医学図書出版，東京，2015
2) Michitaka K, Nishiguchi S, Aoyagi Y, et al: Etiology of liver cirrhosis in Japan: a nationwide survey. J Gastroenterol 45（1）: 86-94, 2010

1 北海道大学における肝硬変の成因別実態

*1 北海道大学病院消化器内科 *2 北海道大学大学院医学研究院内科学分野消化器内科学教室

小川 浩司*1　中井 正人*1　荘 拓也*1
須田 剛生*1　森川 賢一*1　坂本 直哉*2

■ はじめに

本邦における肝硬変の成因はB型肝炎ウイルス（HBV）やC型肝炎ウイルス（HCV）によるものが多かったが，2000年以降抗ウイルス療法の進歩によりウイルス性肝炎からの肝線維化進展を抑制することが可能となった。しかし近年アルコール（ALD）や非アルコール性脂肪性肝疾患（NAFLD）を背景とする肝硬変が増加している。今回，北海道大学病院消化器内科における過去20年の肝硬変の実態を年代および成因別に検討した。

■ 対象および方法

1998年1月以降2017年12月までに当科で診断された肝硬変症843例（年齢中央値63歳，男性65%）を対象とした。肝硬変の成因，診断時非肝癌合併症例の発癌率，全生存率，年代別変化，成因別臨床的特徴を検討した。

■ 成　績

1. 肝硬変症の成因

全肝硬変例における成因はHBV 216例（25%），HCV 275例（33%），ALD 152例（18%），NAFLD 75例（9%），自己免疫 30例（3%），胆汁うっ滞 31例（4%），うっ血 17例（2%），代謝 11例（1%），その他 6例（1%），不明 30例（4%）であった（図1）。診断時肝癌合併は433例（51%）で，診断時肝癌非合併であった410例における発癌率は5/10年 18%/36%であった（図2a）。全体の全生存率は5/10年 70%/51%で，死因は肝癌死/肝不全死/非肝疾患死 72/16/12%であった（図2b）。

2. 年代別成因の推移

ここ20年を4期に分けて年代別の推移を検討した。第1期（1998〜2002年：n=100）は年齢中央値56歳，男性54%，HBV/HCV/NBNC 42/40/18%，第2期（2003〜2007年：n=214）は年齢中央値61歳，男性69%，HBV/HCV/NBNC 29/41/30%，第3期（2008〜2012年：n=245）は年齢中央値63歳，男性67%，HBV/HCV/NBNC 26/28/46%，第4期（2013〜2017年：n=284）は年齢中央値66歳，男性64%，HBV/HCV/NBNC 16/29/55%であった。NBNCの内訳をみると，ALDが第1期7%，第2期14%，

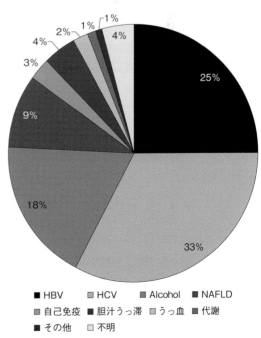

図1　肝硬変症の成因

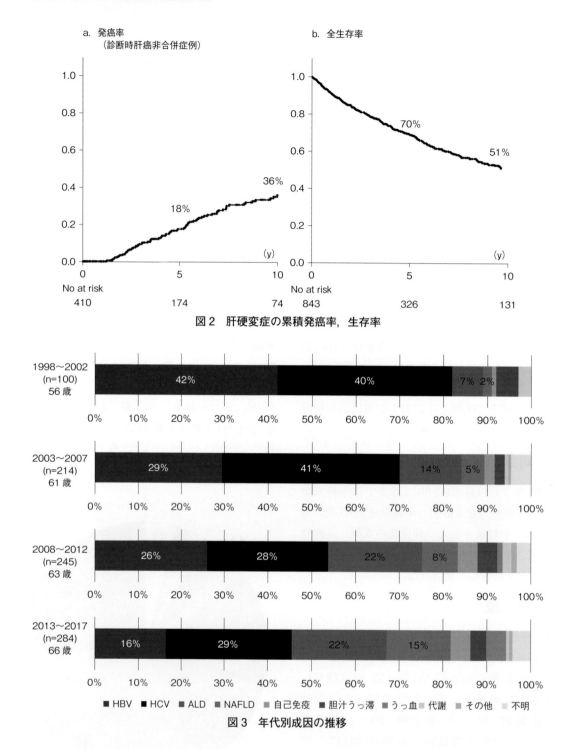

図2 肝硬変症の累積発癌率，生存率

図3 年代別成因の推移

第3期22%，第4期22%，NAFLDが第1期2%，第2期5%，第3期8%，第4期15%と，増加したNBNC肝硬変の主要な成因は脂肪性肝疾患であった（図3）。

3．成因別の発癌率，予後

肝硬変の成因別の臨床的特徴をHBV，HCV，ALD，NAFLD，その他（Others）に分類して検討した。年齢はHBV/HCV/ALD/NAFLD/Others：58/66/64/67/61歳，男性78/56/89/37/47%，診断

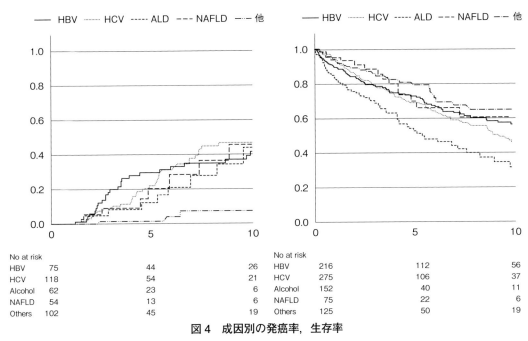

図4 成因別の発癌率，生存率

時肝癌合併は79/70/59/40/18%であった。診断時非肝癌合併例における5年発癌率は30/22/15/20/1%，10年発癌率は42/46/45/45/7%であった（**図4a**）。全体の5年生存率は73/69/55/71/79%，10年生存率は57/46/30/62/66%で，死因はHBVでは肝癌死/肝不全死/他病死91/8/1%，HCVでは67/18/16%，ALDでは75/14/11%，NAFLDでは67/13/20%，Othersでは36/39/25%であった（**図4b**）。

■ 考　察

北海道ではHBVのキャリア率が高く，B型肝硬変，肝癌のリスクが高い地域である。しかし，母子感染予防による垂直感染防御，輸血等のスクリーニング向上による水平感染防御により，キャリア率は低下してきている。また，HCVのキャリア率は全国平均並みであり，C型肝硬変，肝癌のリスクは全国平均レベルである。さらに，核酸アナログ製剤，インターフェロンや直接的抗ウイルス薬による抗ウイルス療法も劇的に進歩し，適切な治療を受けたウイルス性肝疾患患者の肝線維化進展は抑制できる時代となった。このようにキャリア率の低下，抗ウイルス療法の進歩により，北海道においてもウイルス性肝硬変は減少してくることが予想されていた。

今回，当科における過去20年間の全肝硬変例における成因解析では，HBVが全体の1/4を占めており北海道におけるHBVキャリア率の高さを反映したものと考えられた。しかし，第1期ではウイルス性が合計82%を占めていたが，第2期70%，第3期54%，第4期45%と，実に10%/5年以上のペースで減少し，第4期ではついに半数以下となった。対照的に，脂肪性肝疾患は第1期9%，第2期19%，第3期30%，第4期37%と急速に増加していることが確認された。今後もこの傾向は続くと予想され，近い将来に脂肪性肝疾患が肝硬変症の主要な成因になると考えられた。また，肝硬変の診断時期も高齢化していた。これはウイルス性肝疾患における肝硬変移行時期の遅延，緩徐に進行する脂肪性肝疾患の増加に起因するものと考えられた。

成因別の検討では，脂肪性肝疾患の発癌率はウ

イルス性と同様であった．脂肪性肝疾患に高齢者が多いこと，近年の肝癌スクリーニング精度の向上も関係しているが，脂肪性肝疾患の発癌率がウイルス性と変わらない結果であったことは注目に値する．また，脂肪性肝疾患における診断時の肝癌合併はウイルス性よりも少ないにもかかわらず，予後は決して良くなかった．高齢であること，アルコールや肥満といった背景を制御できていない症例が多い，他臓器疾患の合併が多いことが原因と考えられ，脂肪性肝疾患の病態制御がますます重要になると考えられた．

まとめ

北海道において，肝硬変の成因はウイルス性から脂肪性肝疾患へと急速に変化していた．今後脂肪性肝疾患における肝癌リスク症例の囲い込み，肝病態制御が重要になると考えられた．

2 当院における肝硬変の成因別実態

苫小牧市立病院消化器内科
小林　智絵　松本　将吾　得地　祐匡
北潟谷　隆　江藤　和範　山本　文泰

■ 背景・目的

　ウイルス性肝炎の治療の進歩により，肝疾患の疫学は大きく変動しているが，北海道においては肝臓専門医が偏在し，肝疾患診療が行き渡らない地域も多い。当院は北海道東胆振医療圏において救急医療を担う地域の中核病院の一つである。当院における肝硬変の成因別実態を把握することは市中病院の現状を把握する上で意義深い。今回当院における肝硬変の成因別実態を調査し，その特徴を解析した。

■ 対象と方法

　2007年1月1日より2017年10月31日まで当院にて加療され，血液検査や理学所見，画像所見や組織所見から肝硬変症の診断に至った568症例を対象とした。成因の分類は「肝臓専門医テキスト改定第2版2016」に基づいて行い，患者の臨床像，予後について検討した。

■ 結　果

　初診時の平均年齢は64.9±12.8歳，男性385例（67.8％），女性183例（32.2％）であった。成因別割合はHBV 89例（15.7％），HCV 166例（29.2％），HBV＋HCVは2例（0.4％），アルコール性205例（36.1％），NASH 35例（6.2％），自己免疫性8例（1.4％），胆汁うっ滞性8例（1.4％），うっ血肝2例（0.4％），Wilson病3例（0.5％）であった（図1）。HCCは全体で262例（46.1％）に認められた。成因別でみるとウイルス性が65.8％，アルコール性は24.4％，NASHは37.1％，原因不明は58.0％と，ウイルス性においてHCCの合併率が高かった。非代償性肝硬変は358例（63.0％）に認められた。成因別ではウイルス性155例（60.1％），アルコール性135例（65.9％），NASH 16例（45.7％），原因不明37例（74.0％）において非代償性肝硬変に至っていた（表1）。転帰の明らかな369例に関して，HCC有無別，肝予備能別に予後を比較したところ，HCC合併例では三年生存率45.3％，HCC非合併例では27.1％，非代償期肝硬変例は56.4％，代償期肝硬変例は34.7％であり，HCC合併例，非代償期肝硬変例で予後不良であった。

■ 考　察

　当院においてもウイルス性肝炎の治療の進歩によりウイルス性肝硬変の割合は減少し，アルコール性やNASHの割合が増加していた。原因不明例においては肝線維化進行例が多く，burn out NASHであった可能性や，問診では把握しがた

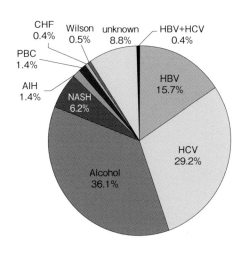

図1　肝硬変の成因別割合

表1 肝硬変の成因別特徴

	初診時年齢*	男/女	HCC合併（%）	非代償性肝硬変（%）
HBV (n=89)	66 (48〜91)	66/23	64 (71.9)	50 (56.2)
HCV (n=166)	76 (49〜88)	102/64	104 (62.6)	104 (62.6)
アルコール性 (n=205)	71 (38〜90)	173/32	50 (24.3)	135 (65.9)
NASH (n=35)	73 (38〜90)	18/17	13 (37.1)	16 (45.7)
自己免疫性 (n=8)	70 (49〜82)	2/6	0 (0)	4 (50)
胆汁うっ滞性 (n=8)	72 (52〜78)	1/7	1 (12.5)	7 (87.5)
原因不明 (n=50)	74 (43〜97)	19/31	29 (58.0)	37 (74.0)

＊年齢中央値（最少〜最大）

い過去の飲酒の影響や，また複数の成因が混在している場合など診断に難渋する症例も含まれていると考えられた．死因は肝疾患関連死が多く，HCC合併，非代償期となれば昨今の治療薬の進歩にもかかわらず予後は厳しく，線維化進行の制御が今後の肝硬変の予後を改善していくものと考えられた．

■ 結　語

　肝細胞癌はウイルス性での合併率が高かった．当院の肝硬変の成因はHCVの割合は減少傾向，アルコール性，NASHが増加傾向であった．

3 当院における肝硬変の成因別実態
― MR Elastography・IDEAL IQ による非侵襲的評価を中心に ―

名寄市立総合病院消化器内科
鈴木　康秋　上原　聡人　上原　恭子
杉村浩二郎　藤林　周吾　芹川　真哉

■ はじめに

MR Elastography（MRE）は，肝内の振動の伝播を MRI 位相変化量として捉え，組織弾性率により肝硬度を評価する手法で，また，IDEAL IQ は MRI 化学シフト法で，肝の脂肪含有率と鉄沈着の評価ができる。今回われわれは，肝硬変症例を MRE・IDEAL IQ により成因別に評価したので報告する。

■ 対　象

2014 年以降に MRE・IDEAL IQ で評価した肝硬変 128 例（男性 73・女性 55 例）。内訳は，HCV 39（30％），HBV 19（15％），アルコール（AL）性 33（26％），自己免疫（AIH）性 5（4％），胆汁うっ滞（PBC・PSC）性 9（7％，PBC 8：PSC 1 例），NASH 15（12％，組織診断 3：臨床診断 12 例），原因不明 8（6％，うち中等度飲酒脂肪肝 1 例）（図 1）。

■ 方　法

使用 MRI 装置は GE 社 Optima MR450w 1.5T。MR elastogram より Wave image と cross-hatching を参照して肝右葉に free ROI を設定し肝硬度（kPa）を測定した。また，IDEAL IQ の Fat image で脂肪含有率（％），$R2^*$ Map で鉄沈着率（Hz）を測定した（図 2）。

■ 結　果

1．男／女比

HCV 1.3，HBV 1.7，AL 3.1，AIH 1.5，PBC・PSC 0.3，NASH 0.4，不明 1.7 で，PBC・PSC，NASH の女性比率が高かった。

2．年齢

HCV 69，HBV 61，AL 63，AIH 74，PBC・PSC 74，NASH 69，不明 75 歳で，HBV，AL の年齢が低かった。

3．BMI

HCV 24，HBV 24，AL 23，AIH 24，PBC・PSC 19，NASH 26，不明 26 で，NASH，不明が高かった。

4．肝癌合併率

HCV 46，HBV 42，AL 27，AIH 0，PBC・PSC 11，NASH 27，不明 50％で，HCV，HBV，不明が高かった。

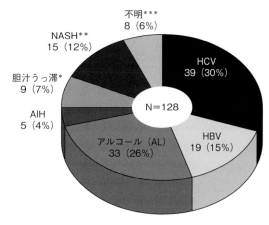

＊　PBC 8 例：PSC 1 例
＊＊　組織診断 3 例：臨床診断 12 例
＊＊＊　うち中等度飲酒脂肪肝 1 例

図 1　肝硬変の成因別頻度

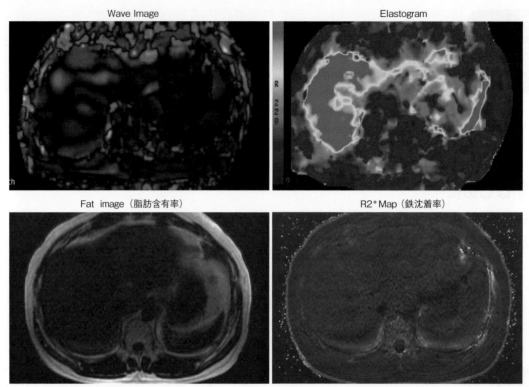

図2　肝硬変症例の MR Elastography（Wave image, Elastogram）と IDEAL IQ（Fat image, R2*Map）

5. 食道静脈瘤合併率

HCV 38，HBV 53，AL 58，AIH 20，PBC・PSC 56，NASH 47，不明 38％で，HBV，AL，PBC・PSC が高かった。

6. 肝予備能

非代償期（Child Pugh B～C）の割合は，HCV 28，HBV 21，AL 52，AIH 40，PBC・PSC 44，NASH 53，不明 50％で，AL，NASH，不明が肝予備能不良であった。

7. IDEAL IQ 脂肪含有率

HCV 6，HBV 6，AL 8，AIH 6，PBC・PSC 6，NASH 8，不明 7％で，AL，NASH が高かった。

8. IDEAL IQ 鉄沈着率

HCV 32，HBV 34，AL 40，AIH 37，PBC・PSC 33，NASH 36，不明 36 Hz で，AL が高かった。

9. MRE 肝硬度

HCV 5.4，HBV 3.7，AL 6.6，AIH 4.9，PBC・PSC 5.3，NASH 5.0，不明 6.3 kPa で，AL，不明が高く，HBV が低かった。

■ 結　語

MRE 肝硬度，IDEAL IQ 脂肪含有率・鉄沈着率は，肝硬変の成因により異なることが明らかとなった。

4 当科における肝硬変の成因および合併症の実態

札幌厚生病院肝臓内科
巽　亮二　髭　修平　推井　大雄　山口　将功
木村　睦海　荒川　智宏　中島　知明　桑田　靖昭
小関　至　大村　卓味　豊田　成司　狩野　吉康

はじめに

近年の薬物療法の向上，特にC型肝炎に対するIFN free治療の導入，SVR率の上昇を背景とした肝硬変の実態を調査するため，わが国でIFN free治療が可能となった時期の前後，各3年間の入院加療を要する肝硬変の成因と合併症の変化を検討した。

対象と方法

当科で入院歴のある肝硬変症例を前期（2012年1月～2014年12月）と後期（2015年1月～2017年12月）に分け成因を調査した。非アルコール性脂肪肝炎（NASH）臨床的疑診例は脂肪肝の既往がある症例と定義した。入院を要する肝硬変の合併症を2012年と2017年で比較したが胸腹水や肝性脳症の治療は肝不全に分類した。同一症例の複数回入院は検討期間群内では1例と算定し，1年間の同一合併症は1件と集計した。

成　績

前期群と後期群の症例数はおのおの738例，818例，年齢中央値は69歳（31～91），70歳（15～94）と後期群が高齢（p<0.01）であった。性別（男/女）は435/303例，478/340例で差は認めなかった。前：後期群の成因別頻度(%)はHBV（15.6：16.4），HCV（42.3：34.1），HBV＋HCV（0.8：1.5），アルコール性（ALC）（22.5：22.6），自己免疫性（3.0：2.2），胆汁うっ滞型（3.0：4.2），代謝性（0.3：0.4），NASH（3.9：9.3），原因不明（8.7：9.4）で，後期でHCV例の減少（p<0.01），NASH例の増加（p<0.01）を認めた。HCV群ではSVR既達成例が前期4例（1%）から後期63例（23%）に増加していた（p<0.01）。肝癌初発例は163例（22%）：152例（16%）と両群で差を認めず，成因別にも前・後期で差を認めなかった。合併症（肝癌/静脈瘤/肝不全/その他）の割合は2012年が46/22/12/19%，2017年が42/25/15/18%で差は認めなかった。（図1）主な成因の各合併症（肝癌/静脈瘤/肝不全）に占める比率は2012年から2017年にHBV：25/11/12%→26/16/15%，HCV：46/33/40%→42/20/20%，ALC：18/34/24%→16/23/25%，NASH：2/4/2%→7/10/6%と変化し，全合併症においてHCVの比率は低下し，NASHの比率は増加した。（図2）

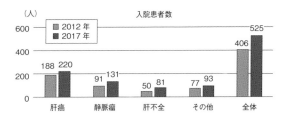

図1　入院治療を要した肝硬変患者の合併症
（2012年と2017年の比較）

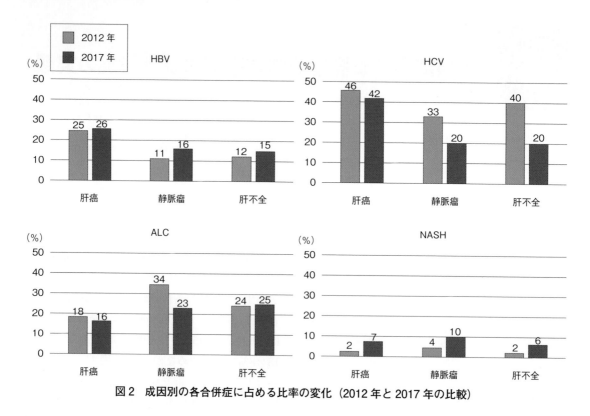

図2 成因別の各合併症に占める比率の変化（2012年と2017年の比較）

◼ 考 察

2014年以降のIFN free治療の導入によりC型肝硬変のSVR例が増加した結果，C型肝硬変の入院総数は後期に減少し，入院を要した肝硬変症例中の比率も低下したものと考えられる。

◼ 結 語

肝硬変の成因や入院加療を要する症例の病態は最近数年間でも変化し，HCVの減少，NASHの増加傾向を認めた。

5　当院における肝硬変の成因別実態

釧路ろうさい病院
寺下　勝巳　宮城島拓人

■ 目　的

　肝硬変は慢性肝疾患の終末像であり，その成因として肝炎ウイルス，アルコール，自己免疫性，代謝性と様々である．近年の抗ウイルス治療の進歩により，多くのウイルス性肝炎患者の予後は改善してきたが，非B非C患者の占める割合の増加が注目されている．北海道釧路市の一地方病院である当院の医療圏は北は羅臼，東は根室まで広範囲に及ぶ．今回当院の肝硬変の成因別頻度，および死亡原因を明らかにする．

■ 対象・方法

　対象は2011年から2017年までに当院にて，身体所見，病理組織，画像検査，および血液検査より総合的に肝硬変と診断された282例を検討した．

■ 成　績

　内訳は男性181例，女性は100例で平均年齢は67.9歳（16〜94歳）であった．肝硬変の成因の例数（割合）についてはB型32例（11%），C型87例（30%），B+C型3例（1%），アルコール性111例（40%），AIH 5例（2%），PBC 8例（3%），NASH 27例（10%），ウィルソン病1例（0.3%），原因不明8例（3%）であった（**図1**）．性別毎の成因では，男性はアルコール性96例（86.5%），女性はC型42例（48.3%），AIH 5例（100%），NASH 16例（59.3%）が多かった．肝癌合併の例数（割合）はB型10例（31.3%），C型35例（40.2%），B+C型1例（33.3%），アルコール性18例（16.2%），PBC 2例（25%），AIH 2例（40%），NASH 6例（22.2%），原因不明1例（12.5%）であった．

　肝硬変患者の診断時からの5年生存率は73.3%，平均生存期間は13.7年であった．主な死因の例数（割合）は肝不全47例（51%），肝癌死35例（38%），静脈瘤破裂2例（2%），他臓器癌死5例（5%）であった．B型やC型は肝癌死（B型：66.7%　C型：54.3%）が多く，アルコール性やNASHは肝不全死（アルコール性：69.7%　NASH：66.7%）が多い傾向であった．肝硬変診断時からのそれぞれの5年生存率はB型74.4%，C型77.8%，アルコール性72.5%，自己免疫疾患（AIH+PBC）83.9%，NASH 60.8%であった．肝硬変患者の5年後発癌率は25.1%，平均発癌期間は15.6年であった．

　次に，肝硬変患者の診断時期を経時的に前期，後期に分けて分析した．症例数が同数になるように2011年9月までに肝硬変と診断された患者を前期，2011年10月以降に肝硬変と診断された患者を後期とした．前期の患者の成因の例数（割合）

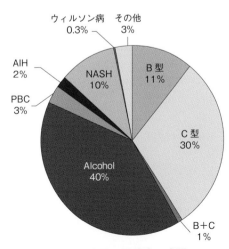

図1　当院の肝硬変の成因

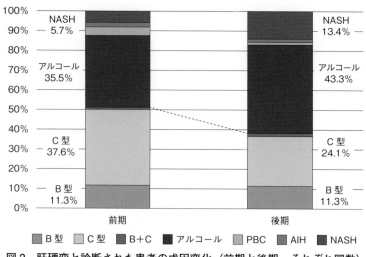

図2 肝硬変と診断された患者の成因変化（前期と後期　それぞれ同数）

は B 型 16 例（11.3%），C 型 53 例（37.6%），B+C 1 例（0.7%），アルコール 50 例（35.5%），PBC 6 例（4.2%），AIH 3 例（2.1%），NASH 8 例（5.7%），その他 4 例（2.8%）であった。後期の患者の成因の例数（割合）は B 型 16 例（11.3%），C 型 34 例（24.1%），B+C 2 例（1.4%），アルコール 61 例（43.3%），PBC 2 例（1.4%），AIH 2 例（1.4%），NASH 19 例（13.4%），その他 4 例（2.8%）であった（図2）。

考　察

ウイルス性，特にC型肝炎に伴う肝硬変は減少し，アルコール性やNASHによる肝硬変の割合が増加した。当院の医療圏である釧路，根室は漁業，酪農を生業とする患者が比較的多い点で全国との患者背景が少し異なるかもしれないが，経時的な変化の大きな要因としてはやはり抗ウイルス治療の進歩が影響したと思われる。

6　北海道旭川市における肝硬変成因別実態

*1 旭川医科大学内科学講座消化器・血液腫瘍制御内科学分野
*2 旭川赤十字病院消化器内科　*3 旭川厚生病院消化器科　*4 市立旭川病院消化器内科

長谷部拓夢[*1,3]　長谷部千登美[*2]　斎藤　義徳[*3]　助川　隆士[*4]　澤田　康司[*1,3]
本田　宗也[*3]　林　　秀美[*1]　相馬　　学[*2]　中嶋　駿介[*1,3]　阿部　真美[*2]
生田　克哉[*1]　藤谷　幹浩[*1]　奥村　利勝[*1]

■ 背　景

ウイルス性肝炎が制御可能になり、肝炎・肝硬変の成因は近年徐々に変化している。北海道北部に位置する道北圏域は人口の半数以上が旭川市に集中しており、旭川市は道北医療圏の中核を担っている。本検討では北海道旭川市における肝硬変患者の成因別実態を把握するため、市内四施設での肝臓専門外来の初診患者を調査した。

■ 方　法

2012年1月1日から2016年12月31日の間に旭川医科大学、旭川赤十字病院、旭川厚生病院、市立旭川病院の肝臓専門外来を初診した肝硬変患者462名を対象とした。初診時の肝癌や静脈瘤の有無と腹水や脳症の程度、血液検査でその傾向を調査した。

■ 結　果

性別は男/女 267/195で、成因はHBV/HCV/HBV+HCV/アルコール性肝疾患（ALD）/非アルコール性脂肪性肝疾患（NAFLD）/自己免疫性/胆汁うっ滞型/その他が 45/141/3/148/52/10/17/46であった（図1）。うっ血性および特殊な感染症による肝硬変の症例は認めなかった。肝発癌した症例は175名おり、食道静脈瘤は178名が有していた。背景疾患としてHBV/HCV/ALD/NAFLDが肝癌では26/70/39/20とウイルス性肝疾患に多く、食道静脈瘤は23/52/58/22とALDに多かった。肝予備能が評価できた症例をChild-Pugh grade A/B/Cに分類すると、HBVで22/11/10、HCVで91/40/5、NAFLDで29/16/4であったが、ALDでは64/52/25と非代償期肝硬変の症例が多かった（図2）。予後の評価を行うと、Child-

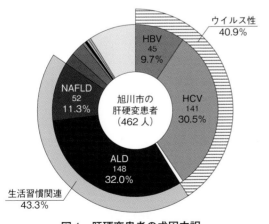

図1　肝硬変患者の成因内訳

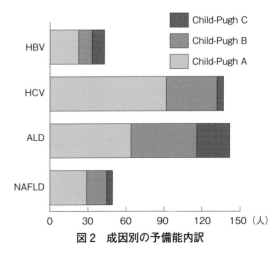

図2　成因別の予備能内訳

Pugh grade A/B/C による生存期間中央値は7.2/4.4/1.8 年であった．背景肝疾患による調査期間中の死亡数をみると HBV/HCV/ALD/NAFLD が 9/25/35/10 で，このうち初診後 1 年以内では 4/9/19/10 例の死亡が確認され，ALD と NAFLD 症例が多かった．

◼ 考 察

ウイルス性肝硬変は 40.9％（HCV：30.5％，HBV：9.7％）を占め，過去の統計と比較してウイルス性肝硬変の割合は減少している．一方で非B非C肝硬変は全体の 59.1％であり，非B非C肝硬変の中でアルコールや脂肪肝を背景とする肝硬変は 73.3％（ALD：54.2％，NAFLD：19.0％）を占め，生活習慣関連の病態が増加している．肝発癌も一定数認め，ウイルス性肝炎が多くを占めているのに対して，ALD では食道静脈瘤を有する症例が多く非代償期の症例も多く存在する．肝予備能の悪化で予後も悪化し，特に ALD では受診から比較的短期間での死亡も多く予後は悪い傾向にあった．これらの結果から，疾病が増悪する前から症例を拾い上げ，治療介入していくことが必要と考えられた．

7 北海道の地方病院における肝硬変の成因別実態

＊1伊達赤十字病院消化器科　＊2同内科
久居　弘幸[*1]　櫻井　環[*1]　渡邊　晃一[*1]
飴田　咲貴[*1]　小柴　裕[*2]　宮崎　悦[*2]

はじめに

　肝硬変の成因には時間的変遷のみならず，地域・病院の特殊性を認める。これまでの肝硬変の実態調査の報告は，high volume centerからのものである。今回，北海道の地方病院である当院の肝硬変症例の成因別実態を調査し，前回調査（肝硬変の成因別実態 2014）[1)]と比較した。

対象と方法

　対象は2013年1月から2014年10月までに当院を受診し，肝硬変と診断された189例（38～92歳，中央値70歳，男性114例，女性75例）で，「慢性肝炎・肝硬変の診療ガイド 2016」[2)]に従い成因を分類した。

成　績

　1．成因では，ウイルス性は68例（36.2％）で，その内訳はHCV 50例（26.5％），HBV 17例（9.0％），HBV＋HCV 1例（0.5％）であった。非ウイルス性は121例で，その内訳は，アルコール性70例（37.0％），NASH（非アルコール性脂肪性肝炎）23例（12.2％），胆汁うっ滞型11例（5.8％，原発性胆汁性胆管炎9例），自己免疫性9例（4.8％），薬剤性3例（イリノテカン），うっ血性1例，原因不明4例であった。NASHの4例（17.4％）が肝生検の確診例であった。

　2．性別ではHCV（男性22：女性28），NASH（9：14）は明らかな性差はなく，アルコール性（62：8）とHBV（13：4）は男性に多く，自己免疫性（1：8），胆汁うっ滞型（2：9）は女性に多かった。

　3．年齢ではHCV 49～91歳（中央値71歳），

表1　当院の肝硬変の成因別実態

成因	症例数	％	年齢	中央値	男性：女性	肝細胞癌合併	％
HCV	50	26.5	49～91	71	22：28	23	46.0
HBV	17	9.0	46～89	66	13：4	7	41.2
HBV＋HCV	1	0.5	60	60	1：0	1	100
Alcohol	70	37.0	38～92	68	62：8	17	24.3
NASH	23	12.2	49～92	79	9：14	6	26.1
胆汁うっ滞型	11	5.8	51～86	75	2：9	1	9.1
自己免疫性	9	4.8	52～85	76	1：8	0	0
薬物性	3	1.6	44～69	65	2：1	0	0
うっ血性	1	0.5	89	89	1：0	0	0
原因不明	4	2.1	79～90	85	1：3	2	50.0
	189		38～92	70	114：75	57	30.2

HBV 46〜89歳（中央値66歳），アルコール性38〜92歳（中央値68歳），自己免疫性52〜85歳（中央値76歳），胆汁うっ滞型51〜86歳（中央値75歳），NASH 49〜92歳（中央値79歳）であり，HBVとアルコール性がより低年齢であった。

4. HCC（肝細胞癌）は57例に認められ，合併率はHCV 23例（46.0％），HBV 7例（41.2％），HBV＋HCV 1例，アルコール性17例（24.3％），NASH 6例（26.1％），胆汁うっ滞型1例，その他2例であった。

5. HCV 23例（46.0％）に直接作用型抗ウイルス剤，HBV 12例（70.6％）に核酸アナログによる治療を施行した。

6. 他臓器癌は21例に認められ，成因別ではNASH 5例（21.7％），HCV 6例（12.0％），アルコール性7例（10.0％）と比較的高率に合併していた（表1）。

7. HBV既感染はHBV現感染例を除く170例中25例（14.7％）に認めた。

■ 考　察

アルコール性，NASHが前回調査に比してより多く認められた。アルコール性およびNASHのHCCの合併率はウイルス性よりも少ないが比較的多く認められ，他臓器癌の合併にも留意する必要がある。HBV既感染がどのように関与するかは今後の課題である。

■ 結　語

今後増加すると思われる生活習慣に伴う肝硬変について十分な対策が必要である。

参考文献
1) 肝硬変の成因別実態 2014，泉　並木監修，医学図書出版，東京，2015
2) 慢性肝炎・肝硬変の診療ガイド 2016，日本肝臓学会編，文光堂，東京，2016

8 肝硬変の成因別実態と変遷

手稲渓仁会病院消化器病センター
山本　恭史　松居　剛志　萬　春花
姜　貞憲　辻　邦彦

■ 背景・目的

本邦における肝硬変の成因については過去5回にわたり本学会による全国集計が行われてきた。前回の集計から3年が経過し，今回，当院の肝硬変の成因および臨床像について検討した。

■ 対象および方法

対象は1998年1月から2016年12月までに当院に入院し，肝硬変と診断された1,161例。成因は「慢性肝炎・肝硬変の診療ガイド2016」に基づき10種に分類し臨床背景およびその変遷を検討した。

■ 結　果

全1,161例中，男性は783例（67.4%）で，年齢の中央値は66歳であった。成因別にはウイルス性肝炎634例（53.7%）（C型425例（36.6%），B型204例（17.6%），B+C型5例（0.4%）），アルコール性349例（30.0%），自己免疫性41例（3.5%），胆汁うっ滞型41例（3.5%），非アルコール性脂肪肝炎（NASH）71例（6.1%），原因不明25例（2.2%）であり，構成比は2014年の当院集計と著変を認めなかった。成因別・性別の年齢を比較すると，ウイルス性肝炎では年齢の中央値が男性63.5歳（34〜91歳），女性71歳（29〜93歳）と有意に女性が高齢であったのに対し（p＜0.001），アルコール性では男性63歳（33〜89歳），女性59歳（26〜79歳）と女性が有意に若年であった（p＝0.002）。NASH 71例中，肝生検を行った組織診断例は9例（0.8%），肝生検を行っていない臨床的疑診例は62例（5.3%）であった。3年ごとの経時的変化で患者数および成因比率を比較すると，肝硬変と診断された患者数は2008〜2010年の277名をピークに2011〜2013年151名，2014〜2016年112名と減少傾向であった。成因比率では，2007年以前はウイルス性肝炎が70%前後，アルコール性が20%前後で推移したのに対し，2008年以降はウイルス性肝炎が40%程度まで低下し，アルコール性が増加傾向となった。特に2014〜2016年ではウイルス性肝炎41.0%，アルコール性44.6%とアルコール性がウイルス性肝炎を上回った（図1）。アルコール性の男女別診断年齢では，2005年以降女性の若年化がみられ，2014〜2016年では男性64歳に対し女性49歳と女性が有意に若い傾向がみられた（p＜0.01）（図2）。また，アルコール性の男女比率も経時的に増加しており，2014〜2016年では22%が女性であった。肝癌の合併率はC型67.1%，B型69.6%，B+C型100%とウイルス性肝炎で高く，NASH 54.9%，アルコール性30.9%，自己免疫性24.4%，胆汁うっ滞型12.2%であった。

■ 考　案

今回の検討では肝硬変の新規患者数の減少傾向が明らかとなった。単一施設での検討であるため全国的なトレンドと合致しない可能性もあるが，ウイルス性肝炎治療の進歩により肝硬変への進展が抑制されたことが主な要因と考えられる。アルコール性の割合は増加傾向で，将来的にはアルコール性が肝硬変の主な原因となると予想される。また，アルコール性では女性の増加と女性の若年化の傾向がみられており，啓蒙活動を含めた対策強化が必要である。

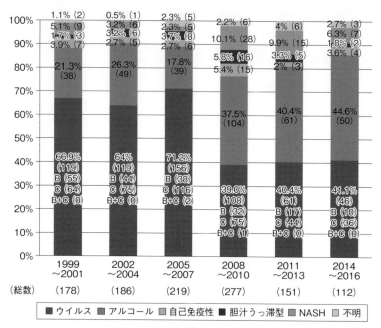

図1 肝硬変の成因の変遷（割合）

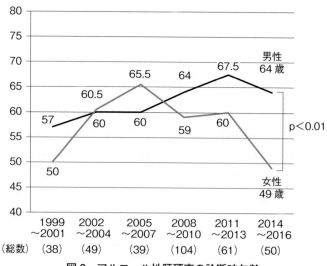

図2 アルコール性肝硬変の診断時年齢

■ 結 語

ウイルス性肝炎による肝硬変の減少とアルコール性肝硬変が増加している実態が明らかとなった。

9 当院における肝硬変の成因別実態

市立函館病院消化器病センター消化器内科
山本　義也　北潟谷　隆　霜田　佳彦　伊藤　淳
大野　正芳　工藤　大樹　畑中　一映　成瀬　宏仁

■ 目　的

近年，抗ウイルス治療の著しい進歩によりウイルス性肝炎患者の予後は改善しつつあるが，一方で非B非C肝硬変・肝癌の増加が問題となっている．今回，当院で経験した肝硬変症例について検討したので報告する．

■ 対象と方法

2007年10月から2017年9月までの10年間に，当院で診療を受けた肝硬変患者741症例を対象として，成因毎に臨床的背景や予後について検討した．肝硬変の診断は画像検査での形態変化や臨床所見などから総合的に判断した．

■ 結　果

肝硬変症例全体では，男性/女性：478/263例と男性の割合が多く，年齢中央値は66（11〜96）歳で，男性/女性：64/72歳と有意に男性で低年齢だった（$p<0.01$）．成因別頻度は，HBV 14.3%，HCV 28.4%，B+C 0.5%，アルコール（ALD）29.9%，自己免疫性6.3%（原発性胆汁性胆管炎3.1%，自己免疫性肝炎2.8%，Overlap症候群0.4%，原発性硬化性胆管炎0.3%），うっ血性1.1%，非アルコール性脂肪性肝炎（NASH）6.7%，胆汁うっ滞0.3%，Wilson病0.3%，Budd Chiari症候群0.1%，薬剤性0.1%，原因不明（不明）11.9%で，症例数の推移は，前期/後期各5年間：359/382例と減少はしておらず，成因別ではHBV，HCVは減少，ALD，不明は増加傾向であった（図1）．主な成因別の年齢中央値/男性比率は，HBV 62歳/77%，HCV 71歳/61%，ALD 62歳/87%，自己免疫性73歳/13%，NASH 73歳/38%，不明75歳/43%と，ALDは大部分が男性であるのに対し，自己免疫性，NASHは高齢の女性に多かった（表1）．肝硬変の診断は，ウイルス性肝硬変の多くが消化器内科でなされていたが，ALD，不明では救命センター受診時偶発的

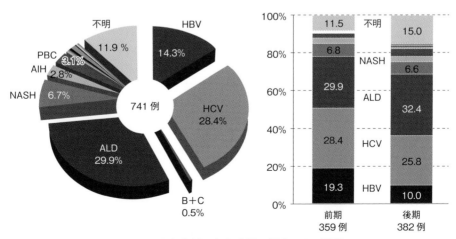

図1　肝硬変症例　主な成因の頻度および推移

表1 肝硬変症例　主な成因別の特徴

	HBV	HCV	ALD	自己免疫性	NASH	不明
症例数	107	211	221	46	50	86
年齢中央値（歳）	62	71	62	73	73	75
男性比率（%）	77	61	87	13	38	43
Child Pugh A / B / C（%）	56 / 28 / 16	60 / 32 / 7	38 / 33 / 29	53 / 40 / 7	45 / 45 / 10	40 / 54 / 6
肝硬変診断科（%）						
消化器内科	82	80	66	68	73	43
救命センター	7	11	23	7	9	27
糖尿病（%）	18	29	28	29	48	33
高血圧（%）	32	51	33	39	60	53
脂質異常症（%）	3	1	9	21	24	19
経過中肝発癌率（%）	63	55	22	14	36	27
生存期間中央値（月）	59	69	69	—	63	28

になされる割合が高く，ALDではChild-Pugh Cへの進行例も目立っていた．糖尿病，高血圧については，NASHでおのおの48/60%，不明で33/53%と他の成因より高率に合併していた．また経過中の累積肝発癌率は，HBV 63%，HCV 55%，ALD 22%，自己免疫性14%，NASH 36%，不明27%といずれも高率だった．

■ 考案・結語

当院では，ウイルス性肝硬変の頻度が比較的低く，HBV，HCVいずれも減少傾向であったが，非B非C，特にALDの頻度は高く，増加傾向であった．飲酒量が多い地域的な問題の他，当院には救命センターが併設されており，未受診のALD患者（特に大酒家）が搬送されることが多い施設であるという背景も影響している．年齢，性差，生活習慣病の合併率については，成因ごとに特徴的な差異が再確認され，背景の類似性から不明の中には一定の割合でNASH症例が混在している可能性も考えられた．肝発癌については，HBV，HCVでは，半数以上と高率に発症していた．一方非B非C肝硬変においても少なからず肝癌が出現しており，厳重な経過観察が必要である．

10 当科における肝硬変の成因および臨床的特徴
―東日本大震災がもたらした変化―

福島県立医科大学消化器内科学講座
岡井　研　藤田　将史　林　　学
阿部　和道　高橋　敦史　大平　弘正

◼ 背　景

　福島県においては2011年に発生した東日本大震災により多大な影響と変化がもたらされた。しかしながら医学分野においてその詳細は十分明らかになったとはいえず，検証が必要である。

◼ 目　的

　当科で東日本大震災以降の6年間に経験した肝硬変症例の成因別頻度および合併症など臨床的特徴を明らかにし，震災以前の解析結果と比較することにより経時的変化，さらに東日本大震災における影響の有無を解明することを目的とした。

◼ 方　法

　当科で2011年4月から2017年3月までに外来もしくは入院にて新規に肝硬変症と診断された628例を対象に肝硬変の成因，性別，年齢，食道・胃静脈瘤および肝細胞癌の合併頻度など臨床的特徴について2011年時の成因調査結果（448例）と比較検討した。また震災の影響に関しては震災前448例（2007～2011），震災後前期340例（2011～2014），震災後後期288例（2014～2017）に分けて成因の検討を行った。

◼ 成　績

　628例の内訳は男性394例，女性234例，年齢中央値68歳であった。成因別症例数および頻度はB型52例（8.3%），C型248例（39.5%），B+C型1例（0.2%），NASH 77例（12.3%），アルコール性191例（30.4%），胆汁うっ滞性30例（4.8%），AIH 8例（1.3%），うっ血性7例（1.1%），代謝性1例（0.2%），原因不明13例（2.1%）であった。この内NASHのみ2011年時解析と比べ有意な比率の上昇を示した。合併症に関しては食道・胃静脈瘤が240例（38.2%）であり有意な減少がみられた。肝細胞癌240例（38.2%）は同程度であった。一方震災後前期では震災前，震災後後期に比べ有意にアルコール性の比率が高く，震災後後期では震災前と有意差を認めなかった。NASHに関しては経時的に有意な増加がみられた（図1，2）。

◼ 考　案

　2011年時と今回の肝硬変の成因比較ではNASHのみ有意な増加がみられた。これは全国的な傾向と思われ，生活習慣の変化やNASHの病態認知が進んだためと考えた。一方当地域では2011年に東日本大震災という甚大な災害が発生し，結果として住民に家族構成や生活様態の変化がもたらされた。福島県においては震災の影響により2011年をピークに年少人口・生産年齢人口の流出が顕著であったが，2013年以降は流出過多であることは変わりないものの，概ね震災以前の流出率で推移していることが総務省の統計から明らかとなった。しかしながら福島県の報告する推計人口によると，2011年から2016年にかけて人口は約12万人減少している半面，世帯数は約2万世帯増加していた。このことは福島県において震災以降，単身世帯数が増加したことを示しているといえる。また国勢調査の結果からは平成22年度に比べ平成27年度において福島県をはじめ岩手県，宮城県においても一人暮らし高齢者の割合が有意に増加したことが示された。これらの社会構造の変化は全国的な傾向といえるが，福島

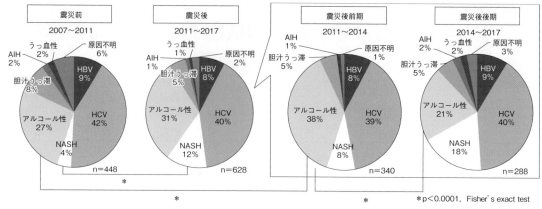

図1 年度別 肝硬変の成因頻度

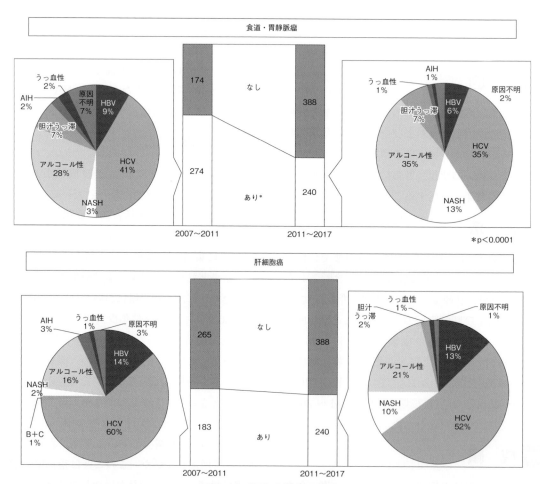

図2 年度別 合併症の頻度

県においては震災を契機に急激な社会構造の変化が起き，単身高齢世帯が急増したことを示している。それに加え過大なストレスや不安による生活習慣の変化として，アルコール消費量が増えたことが予想される。国税庁の「酒のしおり」によると，福島県の酒類販売量は震災の影響が直接反映された2010年度に他の被災県同様落ち込みがみられるものの，人口減少率に比して酒類販売量の

減少率は少なく，福島県では一人あたりの酒類消費量の増加があったものと解釈できる。震災後前期の一過性のアルコール性肝硬変患者の受診増加は，このような社会構造の変化，生活習慣の変化が一因と考える。その他の要因として実際には福島県においては震災後の避難区域居住者における医療費免除に伴い受診行動の変化が起こったこと，県外からの除染作業員など受診対象の変化が起きたことなど複雑な背景因子があることも考慮せねばならない。

一方で肝硬変の合併症に関しての検討では食道・胃静脈瘤の頻度は経時的に低下傾向を示しており，特にウイルス性で顕著であった。これは本邦において2014年からインターフェロンフリーの直接作用型抗ウイルス薬（DAA）による治療が開始され，DAAの適応となる予備能が良い代償性肝硬変患者の受診が増えたことによる選択バイアスの可能性が考えられる。肝細胞癌に関しては今回の検討時点では前回に比して頻度は不変であったが，発癌率の高いC型肝硬変は減少傾向であり，肝細胞癌の合併頻度は将来的に減少が期待される。

結　語

当科における肝硬変症例は経時的にNASHの増加を認めた。震災後アルコール性肝硬変の増加がみられたが一時的な傾向であった。震災を契機に引き起こされた急激な社会構造の変化が，生活習慣や受診行動，受診対象の変化に繋がった可能性が考えられた。

11 東北大学消化器内科入院患者における過去十三年の肝硬変成因の推移と疾患別特徴

東北大学消化器内科
嘉数　英二

■ 目　的

肝硬変の成因は時代とともに変化し地域によっても異なると推測される。本研究の目的は東北大学消化器内科入院患者における過去13年の肝硬変成因の推移を明らかにすることである。

■ 方　法

2004年11月～2017年3月までに，当科に入院したFIB4-index 3.25以上の肝硬変患者n＝754を解析した。期間をA：2004年11月～2011年7月，B：2011年8月～2014年6月，C：2014年7月～2017年3月の3期間に分類した。年齢，肝癌の有無，BMI，各種栄養項目（TG，T-cho，LDL-cho，血漿アミノ酸分析）の疾患別年代推移を調査した。更にこれらのパラメータを用いてk-meansクラスター解析を行い成因別の類似性を検討した。

■ 成　績

各期間のFIB-4indexの平均は期間A：8.89，期間B：8.13，期間C：7.35，Child-Pughscoreの平均は期間A：7.0，期間B：6.4，期間C：6.4であった。疾患割合に関してC型肝硬変は期間A：67.3％，B：68.3％，C：53.8％と減少傾向で，NASHは期間A：3.2％，B：2.0％，C：5.2％，原因不明は期間A：4.0％，B：9.5％，C：14.3％と増加していた（図1）。この傾向は性別には関係なく，70歳未満の比較的若い年代，肝癌の症例，BMI25以上の肥満に明らかであった。B型肝硬変，胆汁うっ滞型肝疾患，自己免疫性肝炎，アルコール性肝炎の割合は期間により差を認めなかった。疾患別特徴としてNASHおよび原因不明ではBMI，TG，分岐鎖アミノ酸（BCAA）が有意に

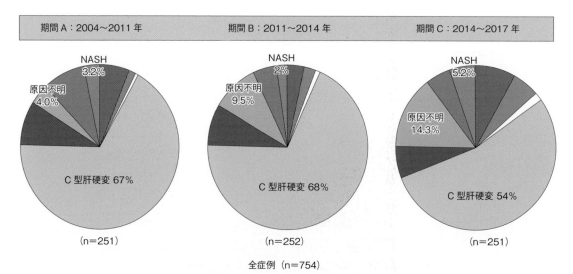

図1　東北大学消化器内科入院患者　期間別疾患割合

高値であり，栄養項目によるクラスター解析ではNASHが多く含まれる領域に原因不明の多くが存在した。

◼ 考　察

本研究は単一施設の入院患者という大きなバイアスが存在するがこれまでの他施設の報告と一致して，東北大学消化器内科入院患者においてもC型肝硬変・肝癌の割合が減少し，原因不明（非B非C型肝硬変）とNASH肝硬変・肝癌の割合が増加していることが明らかとなった。比較的若い年代にその傾向が強く今後さらにその傾向は明瞭化すると考える。クラスター解析では，原因不明の多くがNASHと同じ領域に存在するため，原因不明の成因として多くのNASHが含まれることが示唆された。

◼ 結　論

東北大学消化器内科入院患者においても，C型肝硬変は低下しNASH肝硬変が増加していた。原因不明肝硬変に多くのNASHが存在すると考えられた。

12 当科における肝硬変の成因別実態

新潟大学大学院医歯学総合研究科消化器内科学分野
川合　弘一　寺井　崇二

■ 目　的

当科における肝硬変の成因別実態につき検討した。

■ 方　法

1992〜2016年の期間で当科に入院し，肝硬変と診断した874例を対象とした。成因のうちアルコール性は1日エタノール摂取量60g以上と定義した。

■ 成　績

全症例の男性/女性は528/346例，肝硬変診断時年齢中央値は62歳だった。成因別頻度を図1に示す。成因別の男性/女性，入院時年齢中央値，肝細胞癌合併率は，1) ウイルス性肝炎：292/198例，67歳，84.9%（B型：86/20例，60歳，81.1%，C型：199/173例，69歳，88.4%，B＋C型：7/5例，60歳，91.7%），2) アルコール性：176/26例，63歳，50.0%，3) 自己免疫性：2/33例，66歳，42.9%，4) 胆汁うっ滞型：5/20例，60歳，16.0%，5) 代謝性：3/1例，34歳，0%，6) うっ血性：3/4例，59歳，28.6%，7) 薬物性：0例，8) 特殊な感染症：0例，9) NASH：21/39例，68歳，55.0%，10) 原因不明：26/25例，69歳，47.1%だった。NASHは組織学的確診41例，臨床的疑診19例で，NASHと原因不明のBMI中央値は27.0 vs 23.8，高血圧/糖尿病/脂質異常症合併率：62/65/22% vs 31/37/6%だった。原因不明のうち1日エタノール摂取量20g〜60gは48例中19例，HBc抗体陽性は20例中8例だった。肝硬変診断後の5年/10年生存率は，全症例で74.2/49.3%，

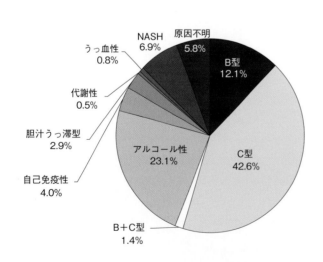

	n
B型	106
C型	372
B＋C型	12
アルコール性	202
自己免疫性	35
胆汁うっ滞型	25
代謝性	4
うっ血性	7
薬物性	0
特殊な感染症	0
NASH	60
原因不明	51
合計	874

図1　肝硬変の成因別頻度

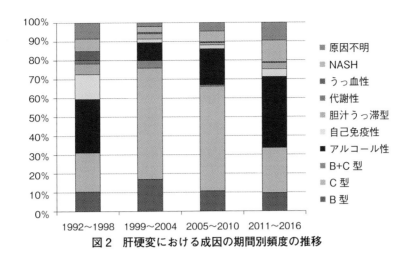

図2 肝硬変における成因の期間別頻度の推移

1) 74.2/49.6%（B 型：74.1/55.9%，C 型：74.8/47.7%，B＋C 型：58.3/41.7%），2) 74.6/49.8%，3) 71.8/45.0%，4) 64.4/40.9%，5) 100/75.0%，6) 71.4/42.9%，9) 79.0/50.0%，10) 73.2/45.5%だった。1992年～1998年（106例)/1999年～2004年（254例)/2005年～2010年（243例)/2011年～2016年（271例）の4期間での成因別頻度の推移は，1) 31.1/79.9/67.1/33.6%（B 型：10.4/16.9/10.7/9.6%，C 型：20.8/59.1/55.6/24.0%，B＋C 型：0/3.9/0.8/0%），2) 28.3/9.4/18.9/37.6%，3) 13.2/2.0/2.1/4.1%，4) 5.7/2.8/1.2/3.3%，5) 1.9/0.8/0/0%，6) 4.7/0/0.4/0.4%，9) 6.6/3.1/5.8/11.4%，10) 8.5/2.0/4.5/9.6%だった（図2）。

■ 結 語

近年，肝硬変の成因としてC型の減少とアルコール性の増加が顕著である。当地域では，多量飲酒者の拾い上げや，飲酒を含めた生活習慣改善の啓発が必要である。

13 秋田県における肝硬変の成因別実態

＊1 秋田大学消化器内科　＊2 市立横手病院消化器内科　＊3 市立秋田総合病院消化器内科

後藤　　隆[*1]　大嶋　重敏[*1]　渋谷　友美[*1]　佐藤　　亘[*1]
千葉　　充[*1]　南　慎一郎[*1]　高橋　健一[*1]　松澤　尚徳[*1]
船岡　正人[*2]　中根　邦夫[*3]　小松　眞史[*3]　飯島　克則[*1]

■ はじめに

第2回肝臓学会大会[1]，第44回肝臓学会総会[2]，第50回肝臓学会総会[3]の全国集計と比較し，秋田県の肝硬変の成因はアルコール性の割合が20％を超え高率であった。そこで，現在の地域的な肝硬変の特徴を明らかにすることを目的に検討を行った。

■ 対象と方法

当科および関連病院で診断された肝硬変2,364例を対象とした。成因別頻度，性比，年齢，肝癌の合併率について検討した。さらにそれらの症例を全国集計のあった4期に分けて経時的変化を比較した。

■ 成　績

肝硬変2,364例の成因別割合（％）は，B型8.1，C型49.0，B＋C型0.5，アルコール性26.6，自己免疫性2.9，胆汁うっ滞型3.8，うっ血性0.1，NASH 0.5，原因不明8.5であった（図1）。自己免疫性，胆汁うっ滞型，NASH，原因不明は，女性の比率が高率であった。平均年齢は，B型，アルコール性，胆汁うっ滞型で他群に比べ若齢であった。

一方，肝癌合併肝硬変1,211例の成因別割合（％）は，B型9.2，C型65.8，B＋C型0.6，アルコール性13.5，自己免疫性1.2，胆汁うっ滞型0.9，うっ血性0.1，NASH 0.6，原因不明8.3であった（図2）。

成因別肝癌合併率（％）はB型57.8，C型68.8，B＋C型53.8，アルコール性26.0，自己免疫性22.1，胆汁うっ滞型12.3，NASH 58.3，原因不明49.0であり，ウイルス性，NASH，原因不明で肝癌合併率が高率であった。

肝硬変の成因の経時的変化をみると1998年までの821例では，B型10.8，C型52.5，アルコール性20.2，自己免疫性3.2，胆汁うっ滞型4.1，原因不明8.4，1999年から2008年までの669例では，

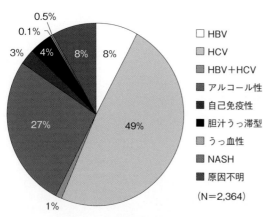

図1　秋田県の肝硬変の成因

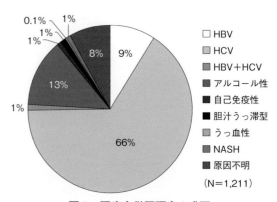

図2　肝癌合併肝硬変の成因

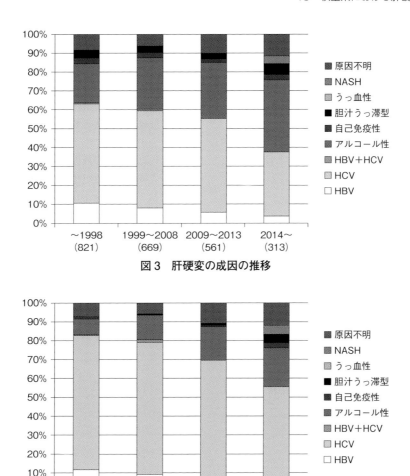

図3 肝硬変の成因の推移

図4 肝癌合併肝硬変の成因の推移

B型8.5, C型51.6, アルコール性26.3, 自己免疫性3.0, 胆汁うっ滞型3.4, 原因不明6.1, 2009年から2013年までの561例では, B型6.0, C型49.6, アルコール性29.3, 自己免疫性2.1, 胆汁うっ滞型2.8, 原因不明9.8, 2014年から現在までの313例では, B型4.0, C型33.6, アルコール性38.2, 自己免疫性3.0, 胆汁うっ滞型5.3, NASH 3.7, 原因不明12.3であった（図3）。ウイルス性, 特にC型の割合が減少し, 非B非C型, 特にアルコール性の割合が増加していた。2014年以降を見るとアルコール性がC型を抜き肝硬変の成因の第一位となっていた。

肝癌合併肝硬変の成因の経時的変化をみると1998年までの372例では, B型11.8, C型71.0, アルコール性8.1, 自己免疫性1.3, 胆汁うっ滞型0.3, 原因不明7.0, 1999年から2008年までの341例では, B型9.4, C型70.7, アルコール性13.0, 自己免疫性0.6, 胆汁うっ滞型0.2, 原因不明5.6, 2009年から2013年までの344例では, B型8.0, C型61.9, アルコール性17.5, 自己免疫性0.9, 胆汁うっ滞型0.9, 原因不明10.6, 2014年から現在までの154例では, B型3.5, C型52.4, アルコール性20.3, 自己免疫性2.8, 胆汁うっ滞型4.2, NASH 4.2, 原因不明11.9であった（図4）。4期ともウイルス性の割合が50%以上を占めるが, 経時的にみると肝硬変同様B型, C型のウイルス性の割合が減少し, 非B非C型, 特にアルコール性の割合が増加傾向にあった。

■ 結　語

　秋田県の肝硬変の成因はアルコール性が26.6％と高率で，肝癌合併肝硬変の成因でもアルコール性が13.5％と高率であった。全国集計のあった4期を比較すると，経時的にB型，C型のウイルス性肝硬変・肝癌の割合が減少し，非B非C型，特にアルコール性肝硬変・肝癌の割合が増加していた。今後，肝硬変・肝癌撲滅のためには，肝炎ウイルス検査普及啓発にさらに取り組むこととB型肝炎・C型肝炎患者に対する適正な治療を徹底するとともにアルコール性肝疾患に対する対策が重要と考えられる。アルコール性肝硬変は，男性に多く，年齢が低く，肝予備能不良で門脈圧亢進症が多いという特徴が報告されている[4]。そのため，若齢からの適正な飲酒習慣の啓発，アルコール依存症への対応，アルコール性肝硬変患者に対する禁酒の遵守と適正な医療の継続が重要と考えられた。

参考文献

1) 岡上　武, 清澤研道：我が国の肝硬変の現状. 肝硬変の成因別実態1998, 小林健一, 清澤研道, 岡上武編, 中外医学社, 東京, pp.1-5, 1999
2) 青柳　豊, 西口修平, 道堯浩二郎, 他：本邦の肝硬変の成因と現状　第44回日本肝臓学会総会主題ポスター「肝硬変の成因別実態」のまとめ. 肝硬変の成因別実態2008, 恩地森一監修, 青柳　豊, 西口修平, 道堯浩二郎編, 中外医学社, 東京, pp.1-10, 2008
3) 泉　並木, 玉城信治：肝硬変の成因別実態2014　全国集計. 肝硬変の成因別実態2014, 泉　並木監修, 医学図書出版, 東京, pp.1-3, 2015
4) 鈴木康秋, 大竹孝明, 青柳　豊, 他：我が国における非B非C肝硬変の実態. 我が国における非B非C肝硬変の実態調査2011, 高後　裕監修, 青柳　豊, 橋本悦子, 西口修平, 他編, 響文社, 北海道, pp.6-16, 2012

14 当科における肝硬変の成因別実態と合併症の特徴

山形大学医学部消化器内科
水野　恵　奥本　和夫　仁科　武人
冨田　恭子　芳賀　弘明　上野　義之

■ 目　的

　本邦における肝硬変の主な成因であったウイルス性肝炎の予後は，近年の抗ウイルス治療の進歩に伴って大きく改善している．一方で，非B非C型肝硬変の占める割合が増しており，特に生活習慣の変化とともにNASHの増加が注目されている．今回われわれは，当科における過去17年間の肝硬変の成因の変遷と合併症について検討した．

■ 方　法

　2001年1月から2017年12月まで当科に初回入院した肝硬変860例（平均年齢67.4±11.2歳，男：女＝527：333）を対象とした．肝硬変の診断は，病理学的診断の他，形態的に明らかなもの，食道胃静脈瘤や脳症などの臨床所見や血液生化学検査で肝硬変と診断できるものとした．NASH肝硬変については肝生検により診断された25例の他に臨床的に診断した29例を合わせて集計した．2001〜2010年（561例）と2011〜2017年（299例）の2群に分け，肝硬変の成因別頻度を比較した．また，肝癌と食道胃静脈瘤の合併頻度についても検討した．

■ 成　績

　2001〜2010年の成因別頻度は，C型348例（62.0%），アルコール性103例（18.4%），B型39例（7.0%），胆汁うっ滞型21例（3.7%），NASH 15例（2.7%），原因不明23例（4.1%）であった．2011〜2017年は，C型105例（35.2%），アルコール性81例（26.8%），NASH 39例（13.1%），胆汁うっ滞型19例（6.4%），B型18例（6.0%），原因不明27例（9.1%）であった．C型は有意に低下し，アルコール性とNASHが有意に増加していた（p＜0.01，図1a）．2001〜2010年と2011〜2017年で年齢分布に差はなかったが，平均年齢はB型62.5±11.4歳，C型70.5±9.4歳，アルコール性61.2±12.4歳，NASH 68.1±9.1歳であり，若年ではアルコール性，高齢ではウイルス性とNASHが多い傾向にあった（図1b）．肝癌合併頻度は，B型78.9%，C型75.3%，アルコール性36.1%，NASH 35.2%であり，ウイルス性肝硬変において有意に高かった（p＜0.01，図2a）．食道胃静脈瘤の合併は，アルコール性66.7%，胆汁うっ滞型47.5%，C型42.1%，B型38.6%であり，アルコール性において頻度が高かった（p＜0.01，図2b）．

■ 結　論

　当科における17年間の肝硬変の成因の推移をみると，ウイルス性が低下し，アルコール性やNASHの割合が増加していた．肝硬変に伴う合併症は肝硬変の成因により頻度が異なっており，成因に応じた経過観察が必要と考えられる．アルコール性肝障害やNASHの症例は，肝臓内科以外に通院していることが多いため，今後は他科との連携がより重要となる．

14 当科における肝硬変の成因別実態と合併症の特徴

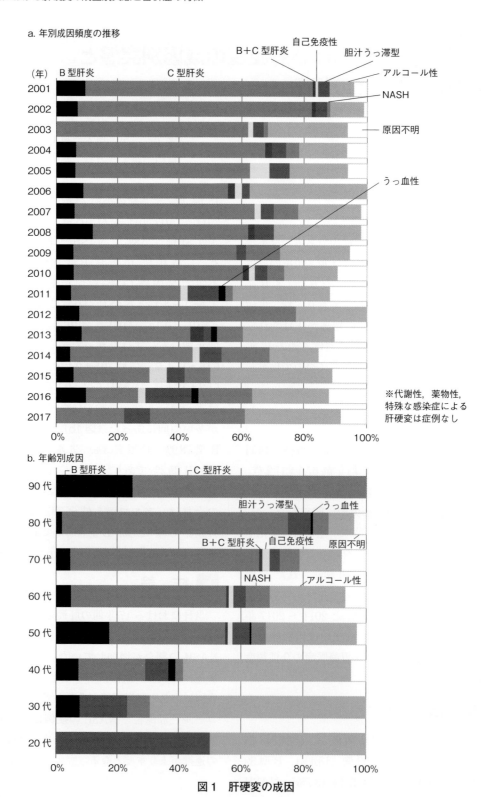

図1 肝硬変の成因

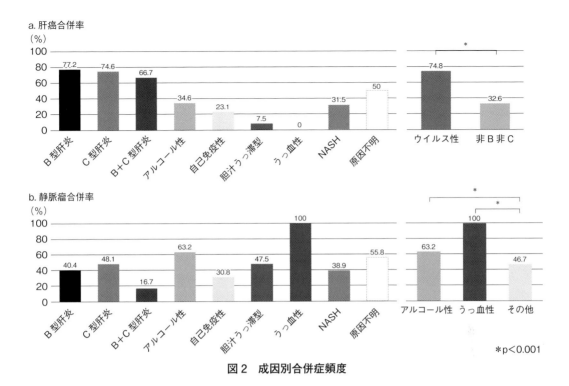

図2 成因別合併症頻度

15 当科における肝硬変の成因別実態

岩手医科大学消化器内科肝臓分野
宮坂　昭生　黒田　英克　及川　隆善　柿坂　啓介　吉田　雄一
遠藤　啓　鈴木　悠地　佐藤　寛毅　阿部　珠美
藤原　裕大　岡本　卓也　米澤　美希　滝川　康裕

◼ 目　的

当科における肝硬変の成因別実態を明らかにするため，成因別割合と頻度および経時的変化，成因別の特徴と肝癌合併について検討した。

◼ 対象と方法

2013年1月1日から2016年12月31日までの4年間に当科に入院し，肝硬変と診断された820例（平均年齢64.8歳，男性557例，女性263例，Child-Pugh grade A 555例，B 179例，C 79例）を対象として，成因別割合と頻度およびそれらの経年的変化，年齢，性差，肝癌合併について検討を行った。

◼ 成　績

1. 成因別割合と頻度（図1a）は，B型10.0%（82例），C型45.9%（376例），B＋C型1.3%（11例）とウイルス性が57.2%（469例）であった。アルコール性25.4%（208例），自己免疫性2.9%（24例）であり，胆汁うっ滞型は3.5%（29例）で，その内訳は原発性胆汁性胆管炎が28例，原発性硬化性胆管炎が1例であった。代謝性0.2%（2例），うっ血性0.7%（6例），薬物性0.1%（1例），特殊な感染症0%，非アルコール性脂肪肝炎は2.9%（24例）で，そのうち組織学的検査を行った19例中13例が組織学的に診断され，臨床的疑診例は11例であった。また，原因不明は7.0%（57例）であった。成因別割合と頻度の年次推移（図2）は，ウイルス性が2013年63.2%（192例），2014年58.6%（92例），2015年55.0%（111例），2016年47.1%（74例）と減少傾向にあり，なかでもC型が2013年49.7%（151例），2014年52.2%（82例），2015年41.6%（84例），2016年37.6%（59例）と

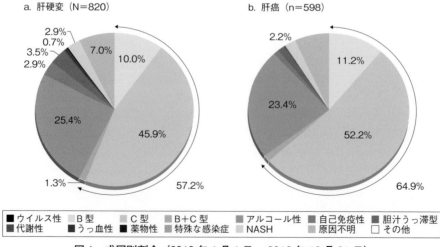

図1　成因別割合（2013年1月1日～2016年12月31日）

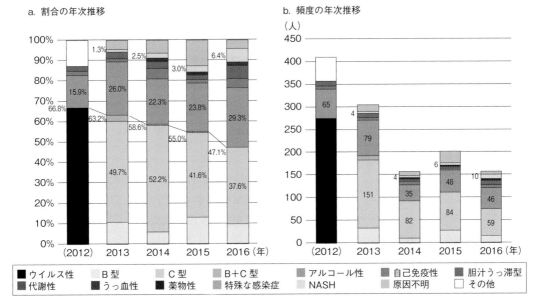

図2 成因別年次推移

2015年以降減少傾向にあった。アルコール性，自己免疫性，胆汁うっ滞型はほぼ横ばいであったが，非アルコール性脂肪肝炎は2013年1.3%（4例），2014年2.5%（4例），2015年3.0%（6例），2016年6.4%（10例）とやや増加傾向にあった。

2．平均年齢はウイルス性が69.8歳で，B型66.2歳，C型70.5歳であった。B型に比べC型が高齢であった。また，B型，C型，アルコール性は男性に多く，自己免疫性と胆汁うっ滞型は女性に多かったが，非アルコール性脂肪肝炎においては男女差を認めなかった。

3．598例が入院時に肝癌を合併しており，入院時の肝癌合併率はB型81.7%，C型83.0%，B＋C型81.8%とウイルス性で82.7%，アルコール性67.3%，自己免疫性25.0%，胆汁うっ滞型31.0%，非アルコール性脂肪肝炎52.0%，原因不明70.2%

であった。また，肝癌の成因別割合（**図1b**）は，B型11.2%（67例），C型52.2%（312例），B＋C型1.5%（9例）とウイルス性が64.9%（388例）であった。アルコール性23.4%（140例），自己免疫性1.0%（6例），胆汁うっ滞型1.5%（9例）代謝性0.3%（2例），うっ血性，薬物性，特殊な感染症は0%で，非アルコール性脂肪肝炎2.2%（13例），原因不明は6.7%（40例）であった。

結　語

当科における肝硬変の成因別割合と頻度はウイルス性，なかでもC型が最も高く，次いでアルコール性であった。経時的変化をみるとC型は減少傾向にあり，一方，非アルコール性脂肪肝炎はやや増加傾向にあった。

16 慢性肝障害成因別肝硬変移行率・肝発癌・急性非代償化および生命予後の検討

慶應義塾大学医学部内科学（消化器）
伊倉　顕彦　中本　伸宏　金井　隆典

■ 目　的

　当院に通院する慢性肝障害・肝硬変患者を成因別に分類し，肝硬変移行率や発癌率，非代償化率，死亡率について後ろ向きに検討する。

■ 方　法

　2012年1月から2015年12月，当診療科の肝疾患初診患者のうち，フォローアップが12ヵ月以上の慢性肝障害811例，およびそのうち肝硬変295例について検討を行った。肝硬変の定義は日本消化器病学会肝硬変診療ガイドライン2015に準ずる。検討項目は，成因ごとの肝細胞癌新規発症，死亡，新規急性非代償化，肝移植の有無とした（倫理委員会承認 No. 20160277）。

■ 成　績

　295例肝硬変症例の成因（うち新規肝癌合併率）の内訳：(1) ウイルス性39%（16%）；(2) アルコール性28%（9%）；(3) 自己免疫性5%（0%）；(4) 胆汁うっ滞性8%（0%）；(5) 代謝性1%（0%）；(6) 非アルコール性脂肪性10%（8%）；(7) 成因不明8%（0%）。NASH-LC例に組織診断が得られた症例は20%であった。年肝硬変移行率は，アルコール性肝障害が4.75%/年で最多，次いで成因不明肝障害2.86%/年，ウイルス性肝障害0.21%/年であった（$p=0.04$）。アルコール性，胆汁うっ滞性，代謝性肝硬変は60歳未満の若年傾向であり，NASH，原因不明肝硬変は特に高齢傾向であった。肝硬変の全死亡率は32%，年死亡率は10%/年であり，自己免疫性，NASH肝硬変は死亡率が低い傾向にあった（$p=0.05$）。初診時担癌患者を除いた肝硬変は199例であり，年新規発癌率は2.86%/年であった。ウイルス性，アルコール性肝硬変は年新規発癌率が高い傾向にあり，それぞれ4.68%/年，3.28%/年であった。NASH肝硬変は2.10%/年と低い傾向にあった（$p=0.049$）（図1）。初診時非代償状態を除いた肝硬変は226例であり，年新規急性非代償化率は5.93%/年で，NASH-LC例に低い傾向（2.02%/年）にあった（図2）。肝移植症例は6%を占めた。

■ 考　案

　ウイルス性肝障害の年肝硬変変化率が低いのは，当院が抗ウイルス治療を高率に取り入れていることに関係していると考えられる。一方，新規発癌率はウイルス性がもっとも高く，発癌の完全制御にはならないことが示唆される。アルコール摂取は肝線維化の進行に関与していると考えられ，原因不明肝硬変の一部はアルコール摂取が背景にある可能性がある。胆汁うっ滞性肝硬変において急性非代償化率が高いのは，制御困難な胆管炎や門脈圧亢進の要素が存在するためと考えられる。NASH-LCは，死亡率，新規発癌率，急性非代償化率のいずれも低い傾向にあった。

■ 結　語

　当院における慢性肝障害成因別の肝硬変移行率・生命予後・発癌・急性非代償化の傾向を検討し考察案を行ったためここに報告する。

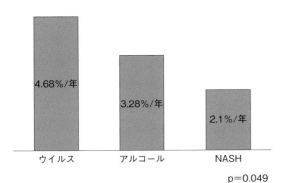

図1 成因別 年新規発癌率
(初診時担癌状態 96 例を除いて,N=199)

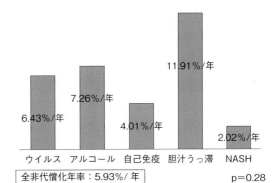

図2 成因別 新規急性非代償化率※
(初診時非代償状態 69 例を除いて,N=226)
※急性非代償化定義:「腹水,肝性脳症,消化管出血,細菌感染」で入院を要するエピソード(EASL/AASLD)

17 東京医科大学茨城医療センターにおける肝硬変の成因別実態

東京医科大学茨城医療センター消化器内科
上田　元　池上　正　玉虫　惇　門馬　匡邦
小西　直樹　屋良昭一郎　村上　昌　平山　剛
岩本　淳一　本多　彰　松﨑　靖司

■ 目　的

　当院は茨城県南県西鹿行地区医療圏をカバーする肝疾患診療連携拠点病院に指定されており，診療内容は大学病院と市中病院の特色を併せ持つ。2014年4月から2017年3月の期間で，消化器内科に初回入院した肝硬変例について，成因別実態とその臨床像を明らかにした。

■ 成　績

　全体247例であり，男性163例（66.0%），女性84例（34.0%）であった。肝硬変の成因は，1) ウイルス性158例（64.0%）：B型18例（7.3%），C型138例（55.9%），B+C型2例（0.8%）。2) アルコール性36例（14.6%）。3) 自己免疫性9例（3.6%）。4) 胆汁うっ滞型7例（2.8%）：PBC 5例（2.0%），PSC 1例（0.4%），その他1例（0.4%）。5) 代謝性4例（1.6%）：Wilson病2例（0.8%），アミロイドーシス1例（0.4%），ヘモクロマトーシス1例（0.4%）。6) うっ血性1例（0.4%）：Budd-Chiari 1例（0.4%）。7) 薬物性1例（0.4%）。8) 特殊な感染症0例。9) NASH 14例（5.7%）。10) 原因不明17例（6.9%）であった。非ウイルス性の内訳をみると，AL 40.4%と最も多かった。

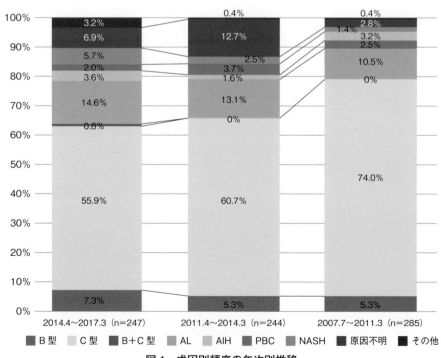

図1　成因別頻度の年次別推移

表1 成因別の臨床背景

	HBV (n=18)	HCV (n=138)	AL (n=36)	AIH (n=9)	PBC (n=5)	NASH (n=14)	原因不明 (n=17)
平均年齢（歳）	68.4±9.9	69.5±11.2	59.8±13.6[a]	72.6±7.1	68.0±8.3	69.4±11.2	75.3±10.3
性別（M：F）	16：2	102：36	30：6	0：9	0：5	4：10	7：10
男性比率（%）	88.9	73.9	83.3	0	0	28.6	41.2
BMI	24.2±5.3	23.7±3.7	23.9±5.5	23.8±4.2	25.4±6.7	29.4±6.1[b]	24.6±5.5
DM（%）	33.3	27.5	33.3	33.3	20	63.1	50
HT（%）	50	55.8	41.7	44.4	60	80	75
HL（%）	16.7	5.8	5.6	11.1	20	58[c]	0
Child-Pugh（A/B/C）	10：6：2	72：49：17	8：16：12	2：4：3	1：2：2	8：5：1	5：5：7
Child-Pugh A（%）	55.6*	52.2*	22.2	22.2	20	57.2*	29.4
Child-Pugh B（%）	33.3	35.5	44.4	44.4	40	35.7	29.4
Child-Pugh C（%）	11.1	12.3	33.3	33.3	40	7.1	41.2
HCC 合併（%）	61.1[d]	73.9[e]	16.7	33.3	0	21.4	41.2
静脈瘤合併（%）	55.6	53.7	61.1	88.9[f]	80	71.4	52.9
TB（mg/dL）	1.1±0.7	1.6±2.3	2.9±4.4[g]	1.9±1.0	2.9±3.2	1.2±0.9	1.6±1.2
Alb（g/dL）	3.5±0.7	3.4±0.7	3.0±0.7[h]	3.2±0.5	2.8±0.5	3.5±0.8	3.1±0.6
PT-INR	1.2±0.2	1.3±0.3	1.5±0.4[i]	1.6±0.4	1.7±0.7	1.3±0.2	1.4±0.2
AST（U/L）	32.4±11.9[j]	56.3±30.3	65.4±58.2	52.9±28.6	44.4±12.7	40.9±13.8	45.4±20.8
ALT（U/L）	21.6±9.3[k]	42.0±31.3	31.2±19.8	29.6±13.8	23.6±8.8	28.1±13.9	27.4±10.8
Plt（$10^4/\mu L$）	10.6±4.4	10.3±5.0	11.8±9.6	9.3±5.7	9.9±3.2	11.2±8.3	13.0±10.6

a) $p<0.05$：vs. HCV, 原因不明・b) $p<0.05$：vs. HCV・c) $p<0.05$：vs. HCV, AL・d) $p<0.05$：vs. AL, PBC, NASH
e) $p<0.05$：vs. AL・f〜k) $p<0.05$：vs. HCV・*) $p<0.05$：vs. AL, AIH, PBC, 原因不明

前回までの調査と比較すると，有意にHCVの減少がみられ，代わりにNASHが増加傾向にあることがわかった。平均年齢は，全体68.0±11.8歳で，男性66.9±10.6歳，女性70.1±13.6歳と，男性の年齢の方が低かった。またALにおいては，HCVや原因不明と比較し平均年齢は低かった。男女比率は，HBVやHCV，ALは男性の割合が多く，AIHやPBC，NASHは女性の割合が多かった。肝細胞癌の合併率は，HCVやHBVのウイルス性で高かった。高脂血症の合併は，HCVやALと比較しNASHで高かった。またBMIについても，HCVと比較しNASHで高い傾向にあった。血液生化学所見では，HCVと比較しALにおいてT-BilやPT-INRは高く，Albは低かった。Child-Pugh分類では，HBVやHCV，NASHでは，予備能が保たれているChild-Pugh Aの割合が高く，ALやAIH，PBC，原因不明では，Child-Pugh B・Cといった予備能が悪い割合が多かった。肝予備能ごとの3年生存率は，Child-Pugh A（83.3%），B（50.5%），C（19.8%）であった。期間中の死亡例は，101例（41.0%）で，肝細胞癌が39例と最も多かった。

■ 考　案

全国集計と比較すると，当院はHCVの割合が高く，ALの割合が低いことがわかる。これは当

院周辺地区のHCVキャリア率が茨城県内平均の2～3倍程の高浸透地域であることや，平成27年度の成人1人当たりの酒類販売消費数量をみると，茨城県は一人あたり67.4Lと全国平均の81.6Lを大きく下回っていることを反映していると考えられる。非ウイルス性では，NASHの増加が注目されており，当院でもその傾向がみられた。NASHについて，組織診断例は6例（42.9％）で臨床的疑診例は8例（57.1％）であった。NASHにおけるBMIの平均は29.4±6.1と高く，糖尿病63.1％，高血圧80.0％，高脂血症58.0％と高率に生活習慣病を合併していた。その傾向は原因不明でもみられており，原因不明と分類された中にも，臨床的疑診としてNASHに含まれるものは多いと考えられた。今後も生活習慣病や肥満に関連する肝硬変は増加が予測され，禁酒や生活習慣の是正のための啓蒙活動も，今後の課題と考えられた。

18 入院患者における肝硬変の成因別実態

埼玉医科大学総合医療センター消化器・肝臓内科
内田 党央　青山 徹　前沢 皓亮　山口菜緒美
加藤 真吾　名越 澄子　屋嘉比康治

■ はじめに

近年，入院患者における肝細胞癌患者の割合が漸減している。そこで，当科に入院した肝硬変患者の合併症を中心にその実態を成因別に明らかにする目的で調査を行った。

■ 方　法

対象は2013年4月から2016年3月までに当科に入院した肝硬変381例（男性229例，女性152例）。成因別に年齢，性別，肝細胞癌・静脈瘤の合併について検討した。

成績：成因別では，ウイルス性肝炎203例（53％），アルコール性98例（26％），自己免疫性8例（2％），胆汁うっ滞型19例（5％），非アルコール性脂肪肝炎（NASH）10例（3％），原因不明43例（11％）で，ウイルス性が最多（HCVは48％，HBVは6％）であった。

また，当科での肝硬変患者の成因別割合の変化を2006〜2007年度（110例）と今回とで比較したところ，ウイルス性肝硬変が2006〜2007年度の肝硬変全体の70％と比較し，今回の調査期間においては48％に過ぎなかった（図1）。

肝硬変の男女別成因では，男性がウイルス性肝炎109例（48％），アルコール性86例（38％），胆汁うっ滞型9例（4％），NASH 6例（3％），原因不明19例（8％）であった。女性はウイルス性肝炎94例（62％），アルコール性12例（8％），自己免疫性8例（5％），胆汁うっ滞型10例（7％），NASH 4例（3％），原因不明24例（16％）と，アルコール性は男性，自己免疫性は女性に多かった。

年齢別分布では，20歳代1例，30歳代4例，40歳代17例，50歳代50例，60歳代88例，70歳代138例，80歳代83例と70歳以上が58％を占めていた。

70歳以上の割合を成因別にみると，ウイルス性肝炎67％（HBV 41％，HCV 70％），アルコール性34％，自己免疫性63％，胆汁うっ滞型

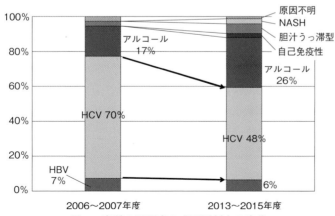

図1　当科の肝硬変の成因別割合の変化
2006〜2007年度（110例）と2013〜2015年度（381例）

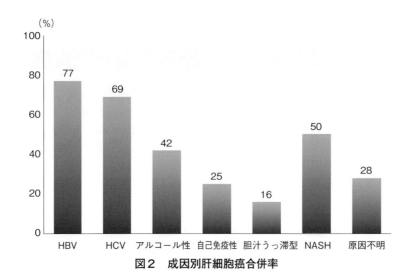

図2　成因別肝細胞癌合併率

47%，NASH 40%であり，C型肝硬変と自己免疫性肝硬変で70歳以上が多かった。

　成因別の肝細胞癌の合併率は，ウイルス性肝炎70%（HBV 77%，HCV 69%，重複感染 50%），アルコール性 42%，自己免疫性 25%，胆汁うっ滞型 16%，NASH 50%，原因不明 28%であり，ウイルス性が高かった。アルコール性は 42%，NASH は 50%と同等の結果となった（図2）。食道静脈瘤の合併率は，ウイルス性肝炎 28%（HBV 45%，HCV 25%），アルコール性 44%，自己免疫性 25%，胆汁うっ滞型 32%，NASH 30%，原因不明 51%であった。HBVとアルコール性で高かったが，成因別に大きな差はなかった。

■ 考　察

　肝細胞癌合併率の高いウイルス性肝炎が，2006～2007年度の肝硬変全体の70%と比較し，今回の調査期間においては48%に過ぎなかったことから，ウイルス性肝硬変の減少が肝細胞癌患者数の低下に寄与した可能性が高いと考えられた。

19　5年間における肝硬変と肝細胞癌の成因の変遷

獨協医科大学埼玉医療センター消化器内科
大川　修　草野　祐実　須田　季晋　玉野　正也

■ 目　的

　当院における肝硬変と肝細胞癌の成因について現在と5年前を比較することを目標とした。

■ 方　法

　2011年4月から2012年3月まで（2011年群）と2016年4月から2017年3月まで（2016年群）に当科に初回入院した肝硬変患者を電子カルテから抽出して2群間で比較した。成因の分類は「慢性肝炎・肝硬変の診療ガイド2016」に準じて，1）ウイルス性肝炎，2）アルコール性，3）自己免疫性，4）胆汁うっ滞型，5）代謝性，6）うっ血性，7）薬物性，8）特殊な感染症，9）非アルコール性脂肪性肝炎，10）原因不明の10種に分類した。同様の検討を同時期に初回入院した肝細胞癌についても行った。

■ 成　績

　肝硬変患者数は2011年群195例，2016年群199例であった。2011年群の平均年齢は67.9歳，男性111例，女性84例，同様に2016年群は69.1歳，男性130例，女性69例で有意差はなかった。2011年群の成因はHBV 23例（12.0%），HCV 101例（51.7%），アルコール性33例（17.0%），自己免疫性6例（3.0%），胆汁うっ滞型7例（4.0%），代謝性2例（1.0%），NASH 6例（3.1%），原因不明17例（9.0%）であった。同様に2016年群では，HBV 13例（7.0%），HCV 65例（32.7%），B＋C 2例（1.0%），アルコール性75例（38.0%），自己免疫性10例（5.0%），胆汁うっ滞型3例（1.5%），NASH 16例（8.0%），原因不明15例（7.5%）であった（図1）。HBVとHCVは有意に減少し（p＝0.0153, p＜0.0001），アルコール性とNASHは有意に増加していた（p＜0.0001, p＝0.0319）。

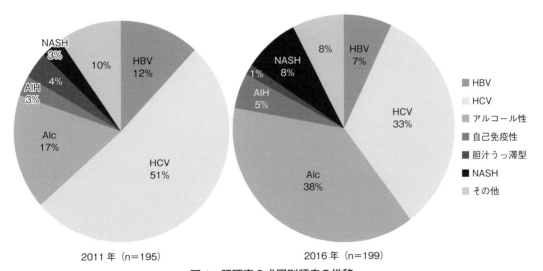

図1　肝硬変の成因別頻度の推移

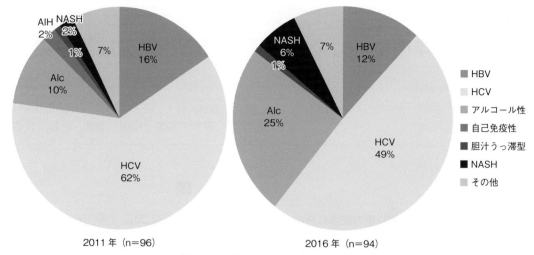

図2 肝細胞癌の成因別頻度の推移

肝細胞癌患者数は2011年群96例，2016年群94例で，年齢と性別に差はみられなかった。2011年群の主な成因はHBV 15例（15.6%），HCV 59例（61.5%），アルコール性10例（10.4%），NASH 2例（2.1%），であり，2016年群ではHBV 11例（11.7%），HCV 46例（48.9%），アルコール性23例（24.5%），NASH 6例（6.4%）であった（図2）。ウイルス性肝細胞癌は有意に減少し（p＜0.0001），非ウイルス性肝細胞癌は有意に増加していた（p＝0.0083）。

■ 考 案

抗ウイルス療法の普及と進歩により肝硬変，肝細胞癌ともにウイルスを成因とする患者が減少したものと推測された。一方でアルコール性やNASHは増加しており，これらの患者の拾い上げが今後の課題と考えた。

■ 結 語

過去5年間の当院の検討ではウイルス性肝硬変，肝細胞癌は減少し，非ウイルス性による患者が増加していた。

20 虎の門病院肝臓内科における肝硬変の成因別実態

虎の門病院肝臓内科

小笠原暢彦　鈴木　文孝　芥田　憲夫　斎藤　聡　藤山俊一郎
川村　祐介　瀬崎ひとみ　保坂　哲也　小林　正宏　鈴木　義之
荒瀬　康司　池田　健次　熊田　博光

肝硬変の成因別診断基準

1. B型肝炎，C型肝炎

腹腔鏡もしくは肝生検で診断もしくは画像検査（MRI, 超音波，CT, 内視鏡所見）および血液検査により臨床的に診断したもの。

2. 自己免疫性肝炎（AIH），原発性胆汁性胆管炎（PBC）

肝生検で確定診断となり線維化がF4, または診断基準を満たし，血液検査で血小板10万以下のもの。

3. 非アルコール性脂肪肝疾患（NAFLD）

腹部超音波検査で脂肪肝を指摘されウイルス感染，自己免疫性が否定的な症例。肝生検で線維化がF4, Fib-4 index 2.67以上，またはAPRI 0.98以上のいずれかを満たし，エタノール摂取量が男性で30g/day未満，女性で20g/day未満のもの。

4. アルコール性肝障害（ALD）

ウイルス感染，自己免疫性が否定的な症例で，肝生検で線維化がF4, Fib-4 index 2.67以上，またはAPRI 0.98以上のいずれかを満たし，エタノール摂取量が60g/day以上のもの。

対象

1972年から2017年6月までに虎の門病院肝臓内科を受診し，肝硬変と診断した2,257例を対象とした。内訳は，B型；549例（24.3％），C型；1,135例（50.3％），NAFLD；387例（17.1％），ALD；142例（6.3％），AIH；25例（1.1％），PBC；14例（0.62％），B+C型；5例（0.22％）であった。

年齢中央値（範囲）は，B型；48（13～82）歳，C型；62（32～97）歳，NAFLD；54（18～86）歳，ALD；56（28～79）歳，AIH；61（38～81）歳，PBC；64（41～80）歳，B+C型；59（44～70）歳であった。

男女比は，B型；1：0.3, C型；1：0.99, B+C型；1：0.7, NAFLD；1：0.3, ALD；1：0.15, AIH；1：3.2, PBC；1：3.7, であった。

肝硬変患者症例数の変遷

肝硬変患者症例数は，1990～1993年；264例，1994～1997年；251例，1998～2001年；311例，2002～2005年；218例，2006～2009年；263例，2010～2013年；247例，2014～2017年；255例で過去30年間ほぼ一定であった。

これら4年ごとで成因別に症例数をみると，B型；58→50→64→60→64→30→24例，C型；191→96→123→129→163→77→142例，NAFLD；3→92→110→25→19→76→58例，ALD；9→12→9→3→10→47→32例，AIH；1→1→3→0→7→2→7例，PBC；1→0→2→1→0→2→2例であった。成因別割合の変遷は，2000年代以降，NAFLD, ALDによる肝硬変患者数の増加が認められた（図1）。B型肝硬変の患者数は，核酸アナログ導入開始時に一時的な増加が認められたものの，核酸アナログ普及により2006年以降初診の肝硬変患者数が減少していた。C型肝硬変患者数は，ペグインターフェロ

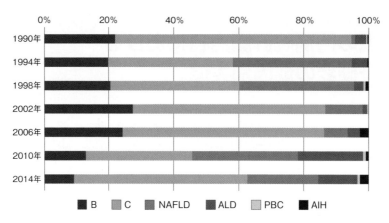

B：B型肝炎，C：C型肝炎，NAFLD：非アルコール性脂肪肝疾患，
ALD：アルコール性肝障害，PBC：原発性胆汁性胆管炎，AIH：自己免疫性肝炎

図1　年代別の成因割合の変遷

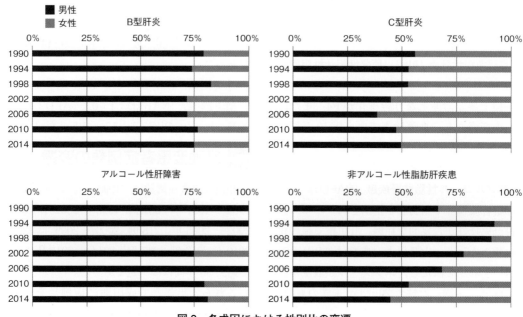

図2　各成因における性別比の変遷

ンとリバビリンの併用療法が導入されて以降，減少傾向がみられたが，2014年以降 Direct-acting Antiviral Agents（DAAs）治療の開始により，再度初診の肝硬変患者数が増加していた．成因別の年齢中央値は，B型；44→49→48→50→53→49→54歳，C型；60→64→62→65→66→64→70歳，NAFLD；64→55→50→53→51→59→63歳，アルコール；58→52→57→54→62→58→53歳であった．ウイルス性，NAFLDによる肝硬変患者の高齢化が認められた一方で，ALDでは若年の肝硬変患者数が増加傾向を示していた．各成因における性別比の変遷は，ウイルス性肝硬変の性別比はほぼ一定であるのに対し，NAFLDでは女性の肝硬変患者数が増加していた（図2）．

成因別の受診理由と重症度

直近4年間における成因別の受診理由は，B型肝硬変では，静脈瘤治療/肝不全/癌/肝炎精査；8.7/17.4/26.1/47.8%，C型肝硬変では，静脈瘤治療/肝不全/癌/DAA/肝炎精査；5.5/10.2/11.8/4.7/

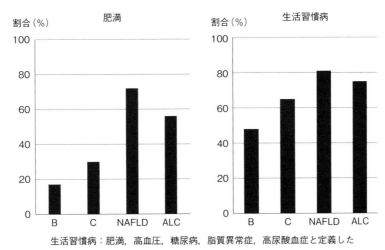

図3 直近4年間における生活習慣病合併率
生活習慣病：肥満，高血圧，糖尿病，脂質異常症，高尿酸血症と定義した

67.8%，NAFLDでは，静脈瘤治療／肝不全／癌／肝炎精査；0.8/1.7/2.5/95%，ALDでは，静脈瘤／肝不全／癌／肝炎精査；12.5/25/3.1/59.4%であった。

また，直近4年間における成因別の重症度は，B型肝硬変では，Child A/B/C；74/17.4/8.6%，C型肝硬変では，Child A/B/C；82/14/4%，NAFLDでは，Child A/B/C；97.5/2.5/0%，ALDでは，Child A/B/C；59.4/18.8/21.8%であった。NAFLD患者は，直近4年間で肝障害精査目的の受診が大部分を占めており，ほとんどがChild Aであった。一方でALDは，肝不全の状態で受診する割合が多く，Child B以上の症例が40%を超えていた。

■ 成因別の生活習慣病合併率と肝細胞癌合併率

直近4年間における年齢中央値は，B型；54歳（男／女；53/60歳），C型；70歳（男／女；67/71.4歳），NAFLD；58歳（男／女；45/67歳），ALD；53歳（男／女；53/55歳）であった。

Body mass index（BMI）の中央値はB型；22.1（男／女；22.4/24.8）kg/m^2，C型；22.8（男／女；23/22.3）kg/m^2，NAFLD；27.7（男／女；28/26.2）kg/m^2，ALD；25.9（男／女；25.9/23.0）kg/m^{2}であった。肥満の合併率は，B型；17%，C型；30%，NAFLD；72%，ALD；56%であった。

生活習慣病；肥満，高血圧，糖尿病，脂質異常症，高尿酸血症と定義すると，生活習慣病の合併率は，B型；48%，C型；65%，NAFLD；81%，ALD；75%であった（図3）。

NAFLDでは，男性に比べ女性の年齢が高く，BMIの値は男性の方が高値であった。脂肪肝における線維化の進行と閉経の有無が関係している可能性が示唆された。また，NAFLD，ALDで肥満の合併率が高かった。

また，肝細胞癌合併例；初診時に肝細胞癌を合併していた症例と経過観察中に発癌を認めた症例と定義すると，肝細胞癌合併率は，B型；41.1%，C型；48.4%，NAFLD；4.7%，ALD；12.7%であった。肝細胞癌の合併率はウイルス性肝硬変で高く，NAFLD，ALDによる肝硬変では低かった。

■ ウイルス性肝硬変における死因の推移

ウイルス性肝硬変における死因の推移は，ウイルス性肝硬変の死因は肝癌死が最多で，肝関連死が大部分を占めていた。B型肝硬変では，2006年度以降，肝不全死の割合が減少していた（図4）。

■ 結語

B型肝硬変は，核酸アナログ普及に伴い，2006年以降肝不全死の割合が低下していた。C型肝硬

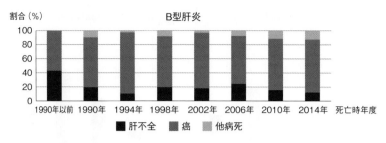

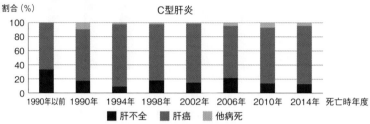

他病死 ：他部位癌，心疾患，脳血管疾患など
肝不全死：消化管出血，感染症も含む
肝癌死 ：他部位転移を含む

図4 ウイルス性肝硬変における死因の推移

変は，初診時患者年齢の高齢化が認められ，生活習慣病との関連も強かった．NAFLD は初診患者数が増加しており，特に女性の比率が経時的に増加してきていた．ALD は，若年患者数が増加しており，肝不全の状態で受診する割合が多かった．

21 当施設における肝硬変の成因別実態

日本大学医学部附属板橋病院消化器肝臓内科
金澤　芯依　楡井　和重　森山　光彦

■ 目　的

　肝硬変の成因については現在までに数度にわたり報告されており，医療の進歩に伴い変遷がみられている．肝硬変の成因別実態について，当院でも前回は 2014 年に報告しており，前回と比較して現在の肝硬変の成因に変化があるのか再度検討したので報告する．

■ 方　法

　期間は 2016 年 5 月から 2017 年 11 月までで，当院外来を受診または入院加療を行った肝硬変患者 250 例を対象とした．肝硬変の成因分類については第 54 回日本肝臓学会総会のポスターシンポジウムの成因分類の基準に従った．

■ 成　績

　全症例の年齢の中央値は 67.5±11.7 歳，男女比は男：女 157 例（62.8%）：93 例（37.2%）であり，年齢の中央値については前回報告と大きな差異はないが，男女比は女性の割合が減少傾向であった．成因分類では HBs 抗原陽性（HBV）21 例（8.4%），HCV 抗体陽性（HCV）114 例（45.6%），HBV＋HCV 1 例（0.4%），nonBnonC（NBNC）114 例（45.6%）であった．NBNC の内訳はアルコール性 50 例（20.0%），自己免疫性肝炎（AIH）7 例（2.8%），原発性胆汁性胆管炎（PBC）8 例（3.2%），非アルコール性脂肪性肝炎疑診 5 例（2%），AIH＋PBC 3 例（1.2%），原発性硬化性胆管炎 2 例（0.8%），Budd chiari 症候群 2 例（0.8%），特発性門脈圧亢進症 2 例（0.8%），Wilson 病疑い，先天性胆道拡張症，胆汁うっ滞症，日本住血吸虫各 1 例（各 0.4%），成因不詳 31 例（12.4%）であった．以前の当院成績（2013 年度）と今回（2017 年度）を比較すると全体の割合ではウイルス性 48.9〜54.4%（HCV 40.6〜45.6%，HBV 7.8〜8.4%），NBNC 51.1〜45.6%（アルコール性 15.1〜20.0%，原因不詳 18.3〜12.4%）と HCV とアルコール性がやや増加傾向であった（図 1）．

　合併症に関しては，肝細胞癌の合併を全体の 93 例（37.2%）に認め，その背景肝は HCV 55 例（59.1%），HBV 10 例（10.7%），NBNC 28 例（30.1%）と以前より NBNC からの肝細胞癌の発生が増加傾向であった．同様に食道胃静脈瘤の合併は 156 例に認め，HCV 62 例（39.7%），HBV 15 例（9.6%），NBNC 79 例（50.6%）と NBNC での合併例が多い傾向がみられた．静脈瘤合併の NBNC 例の内訳はアルコール性 38 例（24.3%），自己免疫型 5 例（3.2%），胆汁うっ滞型 8 例（5.1%），うっ血性 1 例（0.6%），NASH 3 例（1.9%），成因不詳 24 例（15.3%）であり，アルコール性に静脈瘤合併が多い傾向であった．Child 分類別では Child A 150 例，Child B 54 例，Child C 46 例であった．Child A の症例には HCV が 68 例含まれており，その内の 34 例に DAA 投与を施行した．また，DAA 投与 34 例中 20 例で投与前後の Fibroscan 値も比較したが，投与によって肝硬度の有意な改善は認められなかった．

■ 考　察

　前回報告時と比較して肝硬変成因の割合ではウイルス性は減少を認めず，成因に有意な変化は認められなかった．HCV 感染に対して DAA の治療が 2014 年から始まった経緯もあり，抗ウイル

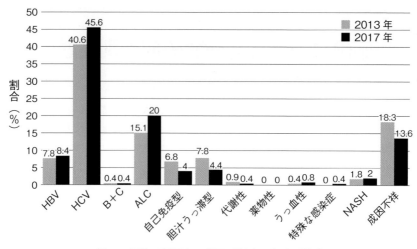

図1 当院の肝硬変の成因別頻度の年次別推移

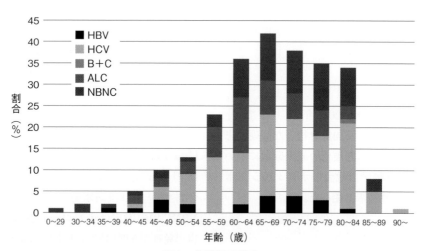

図2 年齢毎の分布

ス療法の普及によりウイルス性による肝硬変の予後が改善すると予想されるため，今後はNBNCによる肝硬変が増加することが考えられる。

22 当科における肝硬変の成因別実態調査

東京女子医科大学消化器内科
児玉 和久　谷合麻紀子　徳重 克年

■ はじめに

近年の抗ウイルス療法の進歩や生活習慣の変化に伴い，ウイルス性肝硬変が減少し，アルコール性や非アルコール性脂肪肝疾患（NAFLD）を基盤とした非ウイルス性肝硬変が増加してきていると報告されている。今回，当科における肝硬変の成因別変遷について背景因子を中心に明らかにすることを目的とした。

■ 対象と方法

1992～2017年に当科に入院し，臨床所見・肝組織所見などから肝硬変と診断した3,097例を対象とした。複数回入院症例は初回入院を検討の対象とした。まず初めに全期間の成因別特徴の検討を行った。次に期間をⅠ期：1992～1997年（849例），Ⅱ期：1998～2002年（824例），Ⅲ期：2003～2007年（621例），Ⅳ期：2008～2012年（455例），Ⅴ期：2013～2017年（348例）の年代に分け，各成因の年代別推移を検討した。成因分類は第50回日本肝臓学会総会会告[1]に従い，①B型，②C型，③B+C型，④アルコール性，⑤原発性胆汁性胆管炎（PBC），⑥自己免疫性肝炎（AIH），⑦代謝性，⑧その他に分類した。⑧その他に関しては，第15回日本肝臓学会大会・わが国における非B非C肝硬変の実態調査の会告[2]に従って成因分類を行い，上記④～⑦以外の疾患をNAFLD・脂肪性・その他胆汁うっ滞性・うっ血性・寄生虫感染・原因不明に分類した。

■ 結　果

1．肝硬変の成因別頻度

全3,097例の成因別頻度は，B型9.3%（289例）・C型61.6%（1,907例）・B+C型1.1%（34例）・アルコール性12.6%（390例）・PBC2.6%（82例）・AIH1.3%（40例）・代謝性0.3%（9例）・その他11.2%（346例）であった。その他の内訳はNAFLD 6.9%（215例）・脂肪性1.1%（33例）・その他の胆汁うっ滞型0.8%（25例）・うっ血性0.7%（23例）・寄生虫性0.03%（1例）・原因不明1.6%（49例）であった。

2．成因別背景因子の比較

診断時年齢中央値はB型が58歳・アルコール性が60歳と比較的若年で，C型は69歳と高齢であった。その他は63歳であったが，胆汁うっ滞性やうっ血性は若年者が多く，NAFLD・脂肪性・原因不明は高齢者が多かった。

3．成因別頻度の年次推移

各期間の症例数はⅠ期：849例，Ⅱ期：824例，Ⅲ期：621例，Ⅳ期：455例，Ⅴ期：348例であり，減少傾向であった。各期間の成因別の症例数の推移を図1に示す。B型，C型，B+C型のウイルス性はⅠ期：730例（86%）と大半を占めていたが，Ⅴ期：151例（43%）と実数・割合ともに大きく低下した。一方，アルコール性はⅠ期：51例（6%）であったが，Ⅴ期：96例（28%）と実数・割合ともに増加した（図2）。

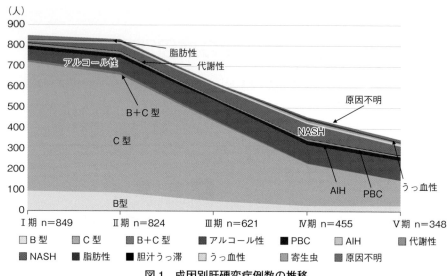

図1 成因別肝硬変症例数の推移

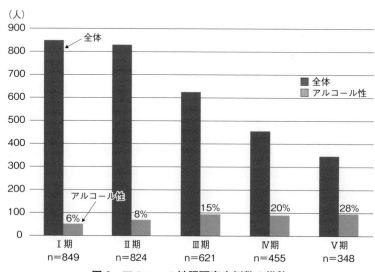

図2 アルコール性肝硬変症例数の推移

4. 成因別背景因子の年次推移

成因別に診断時年齢中央値の年次推移を比較すると，アルコール性はⅠ期：57歳，Ⅱ期：58歳，Ⅲ期：60歳，Ⅳ期：60歳，Ⅴ期：61.5歳，また，PBCはⅠ期：55歳，Ⅱ期：60歳，Ⅲ期：58歳，Ⅳ期：69.5歳，Ⅴ期：68.9歳と両者ともに高齢化の傾向を認めた。一方，その他はⅠ期：69歳，Ⅱ期：65.5歳，Ⅲ期68歳，Ⅳ期：63歳，Ⅴ期：63.1歳と若年化の傾向を認めた。HBV・HCV・HBV＋HCV・AIHに関しては年齢に関して一定の傾向は認めなかった。

アルコール性肝硬変に関しては女性の増加が著しく，Ⅰ期：3人（6％）であったが，Ⅱ期：5人（8％），Ⅲ期：11人（12％），Ⅳ期：10人（11％），Ⅴ期：18人（20％）と実数・割合ともに増加していた（図3）。

5. 肝細胞癌（HCC）合併率の年次推移

成因別HCC合併率の年次推移を図4に示す。B型・C型・B＋C型は減少傾向であったが，非ウイルス性は著変を認めなかった。

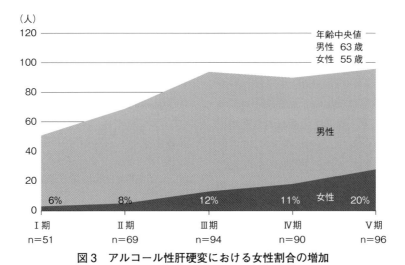

図3 アルコール性肝硬変における女性割合の増加

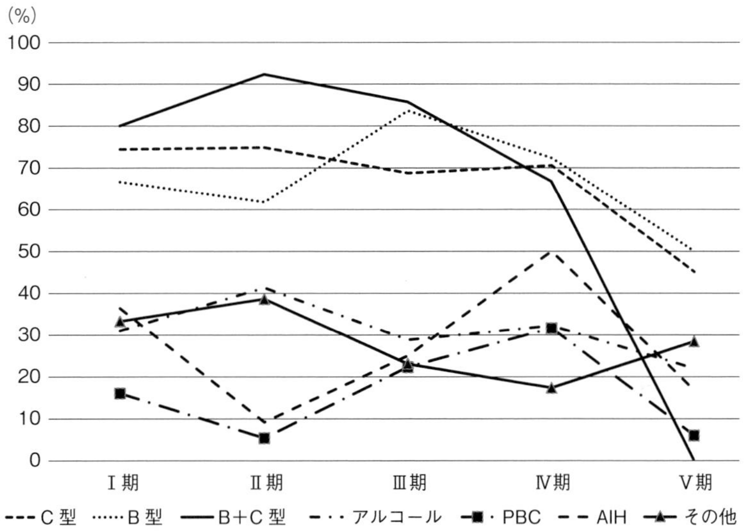

図4 成因別HCC合併率の推移

考 察

1992〜2017年に当科で精査を行った肝硬変症3,097例のうち，867例が非ウイルス性であった。ウイルス性については年代別のIII期以降激減した。原因はインターフェロンやDirect acting antiviralsなどの抗ウイルス療法の登場によると推測する。一方，非ウイルス性は増加傾向であり，I期：119例（14%），II期：161例（26%），III期：172（28%），IV期：190例（42%），V期：192例（55%）と，肝硬変全体に占める非ウイルス性の割合も増加した。

国立健康・栄養研究所の生活習慣調査によると，2003〜2016年の期間の飲酒習慣調査において男性は20〜30代・70代で週1回以下の飲酒者または非飲酒者の割合が最も多く，50〜60代で毎日飲酒者の割合が最も多かった。また，女性は全世代で週1回以下の飲酒者または非飲酒者の割合が最も多く，I〜Vの期間別では一定して約2割が週1回以上の飲酒者であった。女性の毎日飲酒者は20〜30代では減少傾向で，50代以上では増加傾向を認めた[3]。われわれの検討では女性のアルコール性肝硬変は有意に増加を認め，アルコール性肝硬変全体に占める女性割合も増加した

が，50代以上の女性の常習飲酒者が増加したことが原因である可能性が示唆された。

また，日本人間ドック学会による2015年人間ドック全国集計[4]によると，1990年以降，わが国の生活習慣病合併率は増加の一途をたどっている。肥満・耐糖能異常・高血圧・高コレステロール・高中性脂肪の合併率はそれぞれ，1990年（14.7%，12.4%，10.2%，8.9%，11.3%）から2015年（30.4%，24.7%，24%，33.4%，13.6%）と全項目において増加していた。当院におけるNAFLDを基盤とした肝硬変も増加傾向にあり，近年の生活習慣病合併率の増加が原因と考えられた。

◼ 結 語

抗ウイルス療法の進歩によりウイルス性肝硬変が減少し，肝硬変全体の症例数も激減した。一方，アルコール性・NAFLDを基盤とした肝硬変は増加傾向で，アルコール性では女性割合が増加していた。抗ウイルス療法の進歩によりウイルス性肝硬変のHCC合併率は減少していたが，非ウイルス性肝硬変のHCC合併率は著変を認めなかった。今後は非ウイルス性肝硬変の多数を占めるアルコール性・NAFLDの肝硬変進展予防とHCCスクリーニング体制の確立が肝要と考えられる。

参考文献 ....

1) ポスターシンポジウム「肝硬変の成因別実態」第50回日本肝臓学会総会会告，肝臓 54：9，2013
2) 我が国における非B非C肝硬変の実態調査 2011，高後 裕監修，青柳 豊，橋本悦子，西口修平，他編，響文社，北海道，2012
3) 国民健康・栄養調査報告．厚生労働省，平成15-28年（2003-2016）(http://www.nibiohn.go.jp/eiken/kenkounippon21/eiyouchousa/koumoku_seikatsu_syuukan_chousa.html)
4) 公益社団法人日本人間ドック学会：2015年「人間ドックの現況」．(https://www.ningen-dock.jp/wp/wp-content/uploads/2013/09/2ebf31e708cb165bd2c0b68fae972994.pdf)

23 当科における肝硬変の成因別実態

東京共済病院消化器科
鈴木雄一朗　佐野　自由　榊　一臣　沖永　康一
矢内　真人　宍戸　華子　三島　果子　永山　和宜

■ 目　的

これまで肝硬変の成因はB型肝炎やC型肝炎などのウイルスが原因によるものが多かったが，近年はアルコールやNASHによるものが増加傾向である．今回2006年と2016年に当院で治療された肝硬変の患者を比較することで，最近の肝硬変患者の実態を明らかにすることを目的として検討を行った．

■ 対象と方法

2006年と2016年にそれぞれ肝硬変として治療された症例を対象とし成因，肝細胞癌の合併の有無などについて調査した．

■ 結　果

2006年，2016年の対象はそれぞれ，120例，68例で年齢は71±10.6歳と72±11.3歳であった．男性は66例（56.7%），40例（58.8%）であった．成因別頻度はB型が7例（5.8%），5例（7.4%），C型が74例（58.3%），19例（27.9%），アルコール性が18例（15.0%），23例（33.8%），NASHが2例（0.2%），10例（14.7%），PBCが2例（1.7%），2例（2.9%），成因不明が15例（12.5%），7例（10.3%）であった（図1）．成因別の年齢は2006年，2016年それぞれB型が59±13.0歳，65±12.5歳，C型は73±9.1歳，72±9.5歳，アルコール性が63±11.4歳，66歳±8.8歳，NASHが66.5±8.8歳，73±6.6歳，PBCが67±9.6歳，80±9.0歳，不明が74±8.0歳，87±11.9歳であった．2006年と比

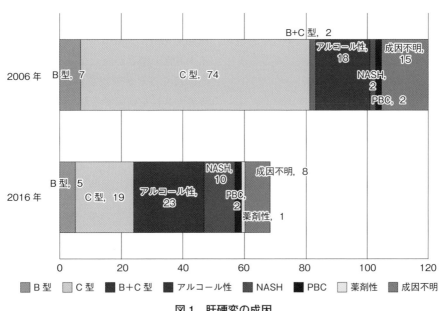

図1　肝硬変の成因

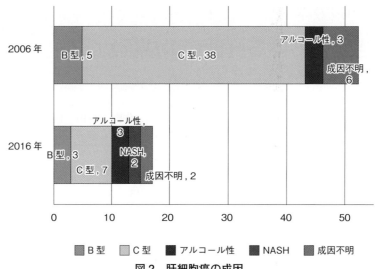

図 2　肝細胞癌の成因

較し 2016 年は肝硬変の患者の総数が減少している結果となった。成因別としては C 型が減少し，アルコール性や NASH が増加する結果となった。肝細胞癌合併例は 2006 年，2016 年でそれぞれ 52 例，17 例で全体としては減少していた。成因別としては，C 型が 38 例（51.3％），7 例（36.8％），B 型が 5 例（71.4％），3 例（60.0％），アルコール性が 3 例（16.7％），3 例（13.0％），NASH が 0 例，2 例（20％）であり，ウイルス性による肝硬変は肝細胞癌を合併する症例が多かった（図 2）。また NASH と組織学的に診断された症例は 2006 年は 0 例で，2016 年は 2 例（20％）であり，その他は画像や肥満，糖尿病，血液検査値などから診断されたものであった。

◼ 考　察

今回の調査では 2006 年と比較し，2016 年は肝硬変や肝細胞癌の全体の患者数が減少していた。これはこれまで原因の多くを占めていた，C 型肝炎ウイルスによる肝硬変の患者が抗ウイルス療法の目覚しい進歩によって減少したことが要因であると考えられた。しかし NASH やアルコール性など代謝性による患者数は増加しており，今後も肥満や生活習慣病の患者数の増加，病態解明や認知度の上昇により増加していくと予想される。

◼ 結　語

依然としてウイルス性の肝硬変や肝細胞癌が多くを占めているものの 10 年前と比較すると減少傾向であり，NASH やアルコール性などの非ウイルス性の割合が高くなっていた。今後もこの傾向は続くことが予想されるため NASH などの非ウイルス性を制御するための対策が必要と考えられた。

24 当院における肝硬変の成因別実態

武蔵野赤十字病院消化器科
髙浦　健太　黒崎　雅之　泉　並木　渡壁　慶也　岡田　麻央
王　　　婉　清水　孝夫　久保田洋平　樋口　麻友
小宮山泰之　高田ひとみ　玉城　信治　安井　　豊
土谷　　薫　板倉　　潤　中西　裕之　高橋　有香

◼ 目　的

当院における近年の肝硬変患者の成因別実態を検討する。

◼ 方　法

2017年12月までに，当院にて肝硬変と診断された患者（初診時を含む）を「慢性肝炎・肝硬変の診療ガイド2016」[1]に定められた成因別に分類し，その傾向と経年的変化を2008年以前（群1），2009〜2013年（群2），2014年以降（群3）に分けて検討した。

◼ 結　果

全2,629名の肝硬変患者の成因別の割合は，ウイルス性肝炎が最も多く65.2%であり，内訳としてはB型肝炎ウイルス（hepatitis B virus：HBV）感染によるものが13.0%，C型肝炎ウイルス（hepatitis C virus：HCV）感染によるものが86.5%，HBVとHCVの重複感染によるものが0.5%であった。次いでアルコール性が22.5%，原因不明が5.4%，非アルコール性脂肪性肝炎（nonalcoholic steatohepatitis：NASH）が4.1%，胆汁うっ滞型が1.4%，自己免疫性が1.2%であった。少数ではあるが，代謝性を1例，うっ血性を2例，特殊な感染症を1例，おのおの認めたものの，今回の検討では薬物性を成因とした肝硬変と診断された患者は認めなかった。またNASHについては，症例の41.5%が生検または手術検体による組織診断例であった。

経年的変化の検討では，群1：1,039名，群2：866名，群3：724名であり，各群で成因別の割合の変化を検討すると，ウイルス性肝炎は群1で80.4%，群2で62.3%，群3で48.5%と，その割合は減少傾向であった（p<0.01）。一方で，アルコール性は群1で10.9%，群2で25.1%，群3で34.5%とその割合は増加傾向であった（p<0.01）（図1）。

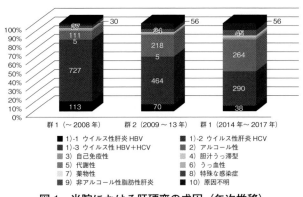

図1　当院における肝硬変の成因（年次推移）

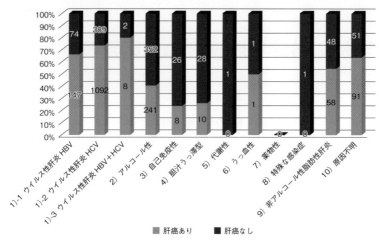

図2 当院における肝癌の合併例

年齢は全症例で66.7±11.4歳であり，年別推移は群1で64.5±10.8歳，群2で68.1±11.0歳，群3で67.7±12.1歳と，群1と比較し群2は高齢であったが（p＜0.01），群2と群3では有意差はなかった（p＝0.35）。

男女比は全症例の59.8%が男性であり，男性の割合が多かった。年別推移は群1で男性56.9%，同じく群2で61.5%，群3で62.8%と，群1と群2の間には男性の割合の増加を認めたが（p＝0.04），群2と群3では有意差はなかった（p＝0.61）。

また，全肝硬変患者の肝癌合併率は全体の63.0%であり，成因別の割合ではHBVが66.5%，HCVは73.7%，HBV＋HCV 80%，アルコール性40.6%，自己免疫性23.5%，胆汁うっ滞型26.3%，NASH 54.7%，原因不明64.1%であった（図2）。

■ 結　論

当院における肝硬変患者の実態としては，ウイルス性肝炎を成因とする肝硬変，特にHCV感染によるものが最も多いが，近年その割合は減少傾向であった。一方で，非ウイルス性肝硬変，中でもアルコール性肝硬変の割合は増加傾向であった。また，年齢も高齢化しており，男性の割合も増加傾向であった。

参考文献
1) 慢性肝炎・肝硬変の診療ガイド2016，日本肝臓学会編，文光堂，東京，2016

25 群馬県における肝硬変の成因別実態

*1 前橋赤十字病院消化器内科 *2 群馬大学附属病院消化器・肝臓内科 *3 伊勢崎市民病院内科
*4 渋川医療センター消化器内科 *5 公立富岡総合病院消化器科 *6 桐生厚生総合病院内科
*7 高崎総合医療センター消化器内科 *8 くすの木病院消化器内科・肝臓内科

滝澤 大地[*1] 柿崎 暁[*2] 嶋田 靖[*3] 長島 多聞[*4] 斉藤 秀一[*5]
竝川 昌司[*6] 長沼 篤[*7] 新井 弘隆[*1] 高木 均[*8] 浦岡 俊夫[*2]

はじめに

全国および各県における肝硬変患者の成因別実態調査は過去に5回（1983年，1991年，1998年，2008年，2014年）行われている。かつてその中心であった肝炎ウイルスによる肝硬変は感染対策と治療の進歩により減少傾向にあり，非B非C型肝硬変の重要度が増している。前回の全国調査からは4年，群馬県の全県調査からは10年が経過し，現在の状況とその変化を確認する事は重要と考えられる。

今回，群馬県における肝硬変の成因別実態を明らかにするため，Gunma liver study group（GLSG）に属する関連病院で肝硬変の調査を行い検討した。

対象と方法

2017年7月から同年9月の3ヵ月間に，群馬県内の主要な肝疾患専門医療機関を受診した肝硬変患者を対象とした。

それぞれ年齢・性別，肝硬変の成因，肝予備能，静脈瘤合併，肝癌合併等について調査した。

肝硬変の成因は主治医が診断し，「慢性肝炎・肝硬変の診療ガイド2016」に則って分類した。

成績

1,255例の調査結果が得られた。
平均年齢：70.6±10.5歳で，男女比は男性717例（57.2%），女性538例（42.8%）であった。肝硬変の成因についてはウイルス性675例（53.8%），アルコール性269例（21.5%），NASH126例（10%），自己免疫性69例（5.5%），胆汁うっ滞型42例（3.3%），うっ血性5例，薬物性4例，代謝性3例，特殊な感染症3例，原因不明58例（4.6%）であった（図1）。

Child-Pugh分類は，A/B/C/不明が675例（53.8%）/436例（34.7%）/113例（9.0%）/31例（2.5%）で，成因による差は認めなかった。

脳症は14.2%，腹水は29.7%に認めたが，両者とも成因による差は認めなかった。静脈瘤は52.0%に認め，成因はアルコール性が多かった。

肝癌は587例（45.3%）に合併し，その成因は69.5%がウイルス性で，アルコール性（15.6%），NASH（7.2%）がこれに続いていた。

肝癌合併リスクの検討では，単変量解析で男性，65歳以上，ウイルス性，アルブミン低値，糖尿病合併，高脂血症合併，高血圧合併がリスク因子であった。多変量解析では男性，65歳以上，ウイルス性，アルブミン低値，糖尿病合併，高血圧合併が有意なリスク因子として残った。（表1）

また，非ウイルス性症例のみでの検討では，男性，65歳以上，糖尿病合併，高血圧合併が多変量解析で有意なリスク因子であった。

考察

2008年の群馬県における肝硬変の成因の報告[1]と比較すると平均年齢は67.9歳から上昇していたが，男女比は54.2%/45.8%とほぼ同様であった。

成因ではウイルス性が77.1%（B型7.1%，C

25 群馬県における肝硬変の成因別実態

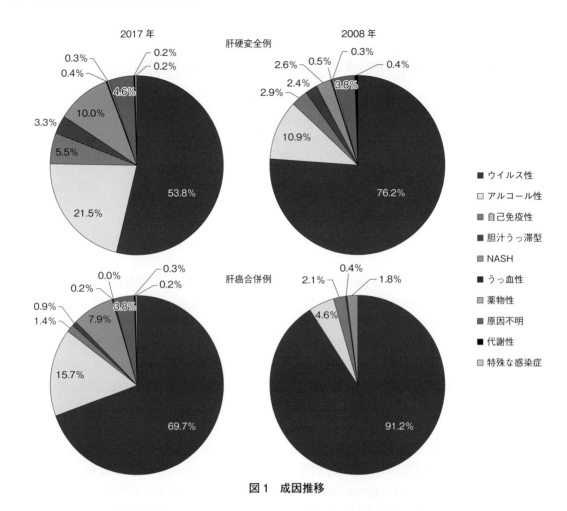

図1 成因推移

表1 肝癌リスク

単変量解析	Odds ratio	95%信頼区間	p
男性	1.66	1.33 ~ 2.09	<0.01
Age ≧ 65歳	2.99	2.24 ~ 3.98	<0.01
ウイルス性	3.33	2.63 ~ 4.20	<0.01
Alb ≧ 3.7	0.71	0.57 ~ 0.89	<0.01
糖尿病	1.48	1.16 ~ 1.90	<0.01
高脂血症	0.52	0.34 ~ 0.78	<0.01
高血圧	1.90	1.52 ~ 2.39	<0.01
多変量解析	Odds ratio	95%信頼区間	p
男性	2.14	1.65 ~ 2.76	<0.01
Age ≧ 65歳	3.04	2.21 ~ 4.17	<0.01
ウイルス性	3.60	2.79 ~ 4.64	<0.01
Alb ≧ 3.7	0.66	0.51 ~ 0.85	<0.01
糖尿病	1.79	1.35 ~ 2.37	<0.01
高血圧	1.52	1.18 ~ 1.96	<0.01

型69.6%，B＋C型0.4%）から53.8%（B型5.7%，C型47.1%，B＋C型1%）へ減少し，アルコール性11.1%から21.5%へ，NASH 2.7%から10%へ，自己免疫性2.9%から5.5%へ，それぞれ増加していた（図1）。

平均年齢を成因別にみるとウイルス性，アルコール性，胆汁うっ滞型の平均年齢は上昇していたが，NASHは70.7歳から69.7歳へと低下していた。

Child-Pugh分類でみた予備能は2008年と比し変化はなかったが，静脈瘤の合併は2008年より減少し，肝癌の合併は増加していた。

肝癌合併の成因でみると，ウイルス性は2008年の91.2%から大きく減少しており，予防，早期発見，治療というわが国の肝炎対策[2]の効果と治療の進歩の成果と考えた。

また，非ウイルス性の成因としてはNASHとアルコール性が重要であること[3]が今回の調査でも確認された。

■ 結　語

肝硬変症例の高齢化は進んでいた。肝硬変の成因として，ウイルス性は減少していたが依然として多く，発癌リスクとしても重要であった。非ウイルス性肝癌の囲い込みには，NASHとアルコール，二つの成因と高齢，男性，糖尿病，高血圧合併に注目すべきと考えた。

参考文献

1) 山田博子, 高木　均, 高山　尚, 他：群馬県における肝硬変の実態．肝硬変の成因別実態，恩地森一編，中外医学社，東京，pp.90-94, 2008
2) Oza N, Isoda H, Ono T, Kanto T: Current activities and future directions of comprehensive hepatitis control measures in Japan: The supportive role of the Hepatitis Information Center in building a solid foundation. Hepatology Research 47: 487-496, 2017
3) 鍛治孝祐, 吉治仁志：ウイルス性肝炎克服時代の慢性肝疾患— NASHとアルコール性肝障害の現状—．日内会誌 107：57-63, 2018

26 当科における肝硬変成因別実態

自治医科大学内科学講座消化器内科学部門
津久井舞未子　礒田　憲夫　村山　梢　渡邊　俊司　廣澤　拓也
高岡　良成　野本　弘章　三浦　光一　森本　直樹　山本　博徳

■ 目　的

最近5年間の当科の肝硬変入院患者を成因別に検討する。

■ 対象と方法

2013年1月から2017年12月の5年間に当科に入院した肝硬変患者799例を対象に，その成因を検討した。肝硬変の定義はF4と病理診断されたもの，未生検例はFIB-4 index＞3.25のものとした。複数回入院している場合は，初回のものを採用した。成因は「慢性肝炎・肝硬変の診療ガイド2016」に基づいて分類したが，「HBV感染とアルコール性」，ないし「HCV感染とアルコール性」のように重複し分類不可能なものは，独立して分類した。さらに，肝細胞癌，静脈瘤合併症例において肝硬変の成因を検討した。

■ 成　績

対象は男性534例，女性265例，年齢中央値は69（31〜91）歳であった。詳細な結果は表1に示した。全体に占める割合はHCV感染35.3％，

表1　当科入院患者の肝硬変の成因

		計 799例	男 534例	女 265例	年齢中央値 69（31〜91）
ウイルス性	HBV	36	26	10	64（39〜85）
	HCV	282	170	112	73（48〜91）
	HBV＋HCV	3	2	1	75（67〜84）
アルコール性		146	129	17	63（31〜85）
自己免疫性		22	2	20	69（51〜86）
胆汁うっ滞型	PBC	10	4	6	73.5（59〜81）
	PSC	3	1	2	72（69〜75）
	PBC＋PSC	1	0	1	78
	その他	4	1	3	71.5（59〜77）
代謝性	hemochromatosis	1	1	0	75
	Wilson病	2	0	2	42.5（37〜48）
うっ血性		2	2	0	72（67〜77）
薬物性		0			
特殊な感染症		0			
NASH		85	38	47	71（50〜89）
その他		22	9	13	63.5（37〜79）
HBV＋アルコール性		16	12	4	65（43〜79）
HCV＋アルコール性		149	132	17	65（38〜87）
原因不明		15	5	10	74（43〜90）

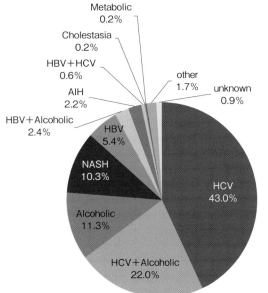
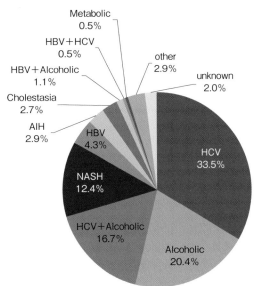

図1 肝硬変の成因

HBV感染4.5％，HCV＋HBV感染0.4％であり，どれも男性の比率が高かった。アルコール性は18.3％で，そのうち男性が約87％に及んだ。なお，HBV感染とアルコール性の重複は2.0％，HCV感染とアルコール性の重複は18.6％で，どちらも同様に男性の比率が高かった。年齢の中央値は，HBV感染単独例と比較しHCV感染単独例の方が高いが，アルコール性との重複症例になるとHBV感染，HCV感染とも差はなかった。NASHは全体の10.6％を占め，そのうち女性は約55％であった。自己免疫性は女性が約91％を占めた。胆汁うっ滞型18例中，PBCが約56％であった。生体肝移植後胆管炎1例，先天性胆道拡張症術後1例，自己免疫性膵炎による胆管狭窄2例はその他の胆汁うっ滞とした。肝細胞癌合併542例（67.8％），静脈瘤合併442例（55.3％）に関して，その成因を図1に示した。肝細胞癌合併症例ではHCV感染が43.0％と最多で，次いでHCV感染とアルコール性の重複が22.0％であった。HCV感染単独とアルコール重複症例とを合わせると，HCV感染が関与する症例は65％にも及んだ。静脈瘤合併例については，HCV感染は33.5％，ア

ルコール性20.4％，HCV感染とアルコール性の重複症例が16.7％となった。肝細胞癌合併症例と比べ静脈瘤合併症例では，HCV感染が関与するものは50.2％と比率が低下した。一方，アルコール単独とHCVとの重複症例を合わせると37.1％となり，アルコールの関与が大きいと考えられた。

考　察

近年，DAAs登場によりC型慢性肝炎の治療は飛躍的な進歩を遂げているが，2013年から2017年の当科における肝硬変の成因としては，依然としてHCV感染例が最多であった。IFNフリーの治療が主流となったのが2014年頃であることを考えると，HCV感染症例の占める比率は今後さらに低下すると予想される。また，実際にはウイルス感染とアルコールの両方の関与が疑われ，どちらにも分類できない症例が多く，今後，分類法の改訂が望まれる。

結　語

当科における肝硬変の成因別実態調査を行った。

27 当院における肝硬変の成因別実態

川崎市立多摩病院消化器・肝臓内科
平石　哲也　奥瀬　千晃　鈴木　通博

■ 緒　言

近年，ウイルス肝炎に対する新規抗ウイルス治療が導入され高い治療効果を上げている。それに伴い，慢性肝炎・肝障害の終末像である肝硬変の成因は大きく変化することが予想される。今回，われわれは当院において診療を行った過去の6年間の肝硬変症例について調査を行った。

■ 対象・調査方法

2012年1月より2017年10月までの期間に当院にて新規に肝硬変と診断した281例（男性158例，女性123例）における，年次別の成因，診断時の病期，合併症（肝癌，食道静脈瘤，肝性腹水・脳症）の有無について調査した。肝硬変の成因は慢性肝炎・肝硬変の診療ガイド2016に基づき分類した。病期は身体所見，検体検査，画像診断，組織診断施行例は病理組織所見を総合的に評価し代償期と非代償期に分類した。

■ 調査結果

全症例の成因の内訳はB型肝炎ウイルス（HBV）4％（12/281），C型肝炎ウイルス（HCV）30％（85/281），アルコール性36％（102/281），自己免疫性6％（17/281），胆汁うっ滞型11％（31/281），うっ血性1％（2/281），非アルコール性脂肪肝炎（NASH）7％（20/281），原因不明4％（12/281）であった。年次別の分布においてはいずれの年次においてもアルコール性が31〜41％と最多であった。HCVは2012〜2014年においては31〜38％であったが，近年は漸減傾向を示しており2016年は26％，2017年は23％であった。NASHは2015年を最多に以降は減少しているように見受けられるが，組織検査未施行などの理由で原因不明に分類された症例の中に少なからず含まれている可能性があり，実際には一定数存在している可能性が考えられる。なお，HBV，HCV，自己免疫性においては20％程度にアルコール多飲歴を有していた。初診時に非代償期と診断した症例の割合はHBV（17％），HCV（18％），胆汁うっ滞型（19％），NASH（25％），自己免疫性（41％），アルコール性（43％）と自己免疫性とアルコール性で高値を示した。診断時に肝癌を合併していた症例はHBV（67％），HCV（41％），NASH（25％）で高率に認められた。食道静脈瘤を合併していた症例はアルコール性（23％）およびうっ血性（50％）に多かった（**表1**，**図1**）。

■ 考　察

当院は行政区内唯一の公設総合病院であり患者の大部分が近隣住民であるため，地域の成因分布の実情を反映していると考えられる。当地域ではアルコール性を成因とした肝硬変が最も多く，他の成因に加えてアルコール多飲歴を合併している症例も多数認められており，近隣住民への教育活動が喫緊の課題である。今後は高い治療効果を示す抗ウイルス治療の進歩により，慢性肝疾患の分布の中心はウイルス性肝炎からアルコール性やNASHなどの生活習慣を背景とした成因に変化することが予想される。当院の調査によればこれらは初診時に肝癌合併例や非代償期への進行例が多く認められるため，早期発見のための検診受診の励行や生活習慣の是正が肝疾患関連死の抑止に重要となる。

表1 調査結果（M：158　F：123）

成因	総数	年齢	非代償期	合併症 肝細胞癌	合併症 食道静脈瘤
HBV	12（4%）	64.5 ± 12.70	2	8	1
HCV	85（30%）	76.0 ± 10.49	15	35（3）*	10
アルコール性	102（37%）	62.0 ± 12.66	44	24	24
自己免疫性	17（6%）	73.0 ± 6.87	7	2	1
胆汁うっ滞型	31（11%）	70.0 ± 18.09	6	1	3
うっ血性	2（1%）	70.0 ± 0.0	0	0	1
NASH	20（7%）	74.5 ± 8.37	5	5	2
原因不明	12（4%）	77.0 ± 10.43	2	2	1
合計	281	70.0 ± 13.23	81	77	43

※合併症は重複あり　＊DAAs後発癌例

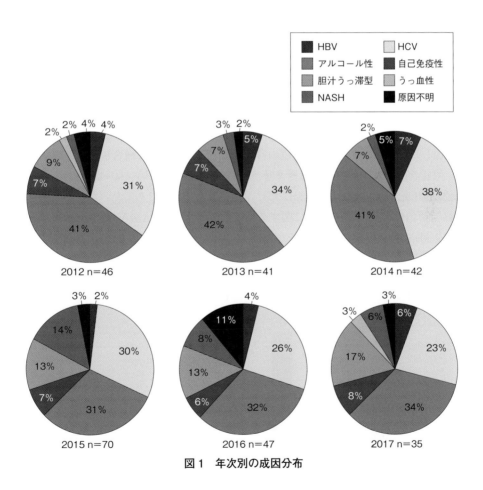

図1　年次別の成因分布

28 当院における自己免疫性肝炎，原発性胆汁性胆管炎による肝硬変の現状

＊1 千葉大学大学院医学研究院消化器内科学　＊2 同分子ウイルス学　＊3 同先端化学療法学
安井　伸[*1]　前田　隆宏[*1]　高橋　幸治[*1]　横山　昌幸[*1]　小林　和史[*1]
清野宗一郎[*1]　中村　昌人[*1]　日下部裕子[*1]　小笠原定久[*1]　鈴木英一郎[*1]
大岡　美彦[*1]　中本　晋吾[*2]　太和田暁之[*3]　千葉　哲博[*1]　新井　誠人[*3]
丸山　紀史[*1]　加藤　直也[*1]

■目　的

当院における自己免疫性肝炎（AIH），原発性胆汁性胆管炎（PBC）による肝硬変の現状を明らかにする。

■方　法

2010年6月から2017年8月の期間に当院で施行されたFibroscan測定値が12.0kPa以上であった患者の診療録を閲覧して臨床所見・画像所見・組織検査所見より肝硬変と診断されたAIH，PBC患者を抽出し患者背景，検査結果，治療内容を検討した。AIH診断には改訂版国際診断基準，本邦の自己免疫性肝炎診断・治療指針（2013年），PBC診断には「難治性の肝・胆道疾患に関する調査研究」班の診断基準（平成22年度）を用い，臨床的にAIH，PBC両者の特徴を有する例をoverlap症候群とした。

■成　績

AIH 15例（A群），PBC 28例（P群），overlap 8例（O群）が抽出され，各群［A/P/O群］において女性［80/68/100％］，年齢中央値［69/72/61歳］，初診時からの経過観察期間中央値［1,189/2,112/2,473日］，初診時から肝硬変であった例［80/50/63％］，経過中の肝移植施行［0/7/0％］，経過中の死亡［7/18/0％］（全例肝関連死），食道静脈瘤合併（データ欠損A群1例，P群3例を除外）［50/48/88％］，肝細胞癌合併［13/25/0％］であった。ANA陽性例は［100/77/88％］，AMA/AMA-M2陽性例は［0/96/75％］であった。併存疾患に関しては関節リウマチ

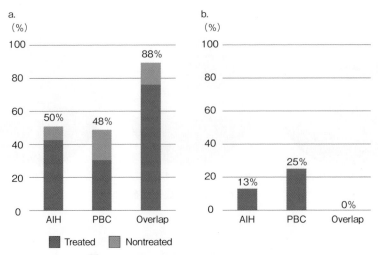

図1　a：Esophageal varices，b：HCC

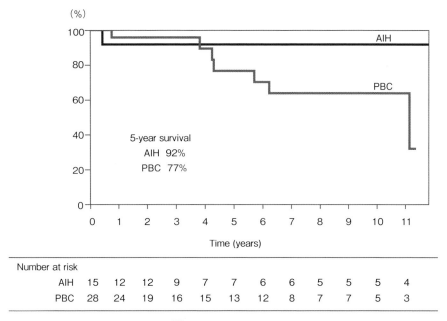

図2 Survival curves

[0/0/13%], SLE [7/4/13%], 強皮症 [0/4/0%], シェーグレン症候群 [0/4/13%], 慢性甲状腺炎 [13/18/13%], 高血圧症 [20/21/13%], 脂質異常症 [13/21/13%], 糖尿病 [20/25/0%], 心血管疾患 [0/7/13%], 脳血管疾患 [7/7/0%], 悪性疾患（肝細胞癌以外）[7/4/0%] であった。最終外来通院時の血液検査の中央値は PLT [12.9/13.2/8.4万/μL], T-BIL [0.8/1.2/1.4mg/dL], ALB [3.9/3.2/3.2g/dL], PT [87/88/79%] で, Child-Pugh 分類（データ欠損 A 群 3 例, O 群 1 例を除外）A [58/50/43%], B [33/32/57%], C [8/18/0%] であった。治療内容に関しては Corticosteroid [60/0/75%], Azathioprine [7/0/13%], Ursodeoxycholicacid [100/86/100%], Bezafibrate [0/22/13%] であった。

考　案

O 群において食道静脈瘤合併が高率に認められた。各群において心血管疾患，脳血管疾患の合併率は低く，死亡例は全例肝関連死であった。

結　語

当院における AIH，PBC による肝硬変の現状について報告した。

29 当院における食道静脈瘤初回治療を施行した肝硬変症例の成因別実態と長期予後の検討

済生会新潟第二病院消化器内科
今井 径卓　石川 達　大越麻理奈　富吉 圭
堀米 亮子　小島 雄一　野澤優次郎　佐野 知江
岩永 明人　本間 照　吉田 俊明

■ はじめに

肝硬変に合併する食道静脈瘤は致死的な出血をきたし、生命予後に大きな影響を与える重要な病態である。内視鏡的静脈瘤結紮術（Endoscopic variceal ligation：EVL）の登場により、破裂出血時の緊急止血術は容易となったが、EVLはその簡便性により、待機例や予防治療例まで適応は広がっている。また、待機例や予防治療例においては、静脈瘤の再発抑制効果の観点から、内視鏡的静脈瘤硬化療法（Endoscopic injection screlotherapy：EIS）が選択されることもある。今回われわれは、食道静脈瘤の治療を要した肝硬変症例の成因別実態と生命予後関連因子について検討した。

■ 方法

2007年4月から2017年4月までの期間、済生会新潟第二病院で食道静脈瘤初回治療としてEVLを施行した140例（男性88例、女性52例）を対象とし、成因別実態と生命予後に関連する因子について後方視的に検討した。治療時平均年齢は65.9歳（33～93歳）。背景肝の成因はHBV 13例、HCV 57例、HBV・HCV重複感染2例、アルコール49例、非アルコール性脂肪性肝炎（nonalcoholic steato-hepatitis：NASH）10例、自己免疫性肝炎（Autoimmune hepatitis：AIH）3例、原発性胆汁性胆管炎（Primary biliary cholangitis：PBC）3例、その他3例。肝予備能はChild-Pugh分類 A 37例、B 79例、C 24例であった（表1）。

表1　Patient characteristics

	n＝140
Age in year	65.9（33～93）
Gender	Male 88，Female 52
Alb（g/dL）	3.06 ± 0.60
T-bil（mg/dL）	1.91 ± 2.40
PT（%）	70.1 ± 17.2
AST（IU/L）	71.16 ± 67.8
ALT（IU/L）	44.53 ± 31.6
Platelet（$\times 10^4$/mm^3）	10.6 ± 4.5
Ascites	Yes 54, No 86
Hepatic encephalopathy	Yes 13, No 127
Child-Pugh class	A 37, B 79, C 24
Characteristics of the liver	HBV 13, HCV 57, B＋C 2, Alcohol 49, NASH 10, AIH 3, PBC 3, Others 3

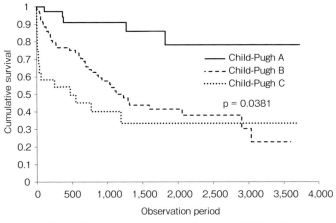

図1　Survival curve（according to Child-Pugh）

■ 結　果

治療法は全例 EVL を施行し，うち 3 例が EIS を併用し，18 例が地固め療法を追加した（ポリドカノール血管外注入法 12 例，アルゴンプラズマ凝固法 6 例）。治療時期は緊急 15 例，待機 4 例，予防 121 例であった。初回治療時点での肝細胞癌（HCC）合併例は全体で 58 例（41.4％）であり，成因別では HBV で 8 例（61.5％），HCV で 27 例（47.4％），アルコールで 16 例（32.7％），NASH で 5 例（50.0％），AIH で 1 例（33.3％），PBC で 1 例（33.3％）であった。初回治療後の HCC 発癌は全体で 15 例に認めた。観察期間中央値は 820 日（1〜3,726 日）で，累積生存率は 1 年 78.3％，3 年 60.8％，5 年 49.1％であり，成因別の検討では 1 年/5 年生存率は，HBV 69.2％/38.4％，HCV 80.4％/49.0％，アルコール 77.2％/46.8％，NASH 58.3％/43.8％，その他 90.9％/75.8％であった。観察期間中に死亡例 61 例を認め，死因は HCC 25 例，肝不全 14 例，静脈瘤破裂 11 例，その他 11 例であった。HCC 有無別にみると，1 年生存率は HCC 有 63.9％，HCC 無 94.0％，5 年生存率は HCC 有 34.0％，HCC 無 65.7％であり，両群間に有意差を認めた（p＜0.001）。HCC 以外の患者背景因子では Child-Pugh 分類 B 以上（p＝0.0381），腹水有（p＝0.0023）が予後不良因子であった。HCC 合併例でも同様に Child-Pugh 分類 B 以上（p＝0.0431），腹水有（p＝0.0397）が予後不良因子であり，HCC 関連因子では門脈腫瘍塞栓（p＝0.0022），cStage Ⅲ 以上（p＝0.0421），HCC 初回治療非奏功（p＝0.0468）が予後不良因子であった（Cox 比例ハザード解析）（図 1，2）。

■ 考　察

EVL は食道静脈瘤の緊急止血時において非常に有用な手技であり，止血成功率と偶発症は EIS と同等，短期間での非再出血率も EIS と比較して同等以上と報告されている[1〜3]。一方，食道静脈瘤からの出血既往症例に対し，待期的治療として EIS と EVL を比較した報告では，治療約 1 年後の再発率は，EIS 単独群 10〜20％台，EVL 単独群は 20〜40％台と EVL 群で高く[4,5]，EVL に地固め療法を追加することで EIS と同等の成績になると報告されている[6]。また，出血の危険性が高い食道静脈瘤に対する予防的治療として，EIS，EVL の前向き無作為割り付けを行った研究では，EIS，EVL ともにコントロール群と比較して出血率を低下させ，その効果に有意差はなかったと報告されている[7]。当院では，緊急例，待機例，予防例ともに EVL が選択されることが多いが，必要に応じて地固め療法が追加されることもある。切除不能な HCC を有する Child B，C の患者における予防的 EIS の効果をみた前向き無

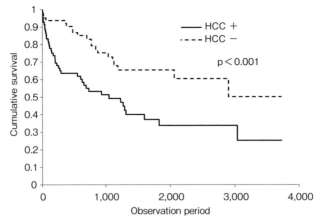

図2　Survival curve（according to hepatocellular carcinoma）

作為化研究では，F2・RC陽性，またはF3の食道静脈瘤に対して，予防的にEISを行った群では観察期間中に出血は認めず，経過観察群では半年で44.8％に出血を認め，累積生存率においても予防的EIS群で予後良好と報告されている[8]。今回の検討では，食道静脈瘤初回治療時点でのHCC合併率は全体で41.4％であるが，成因別ではHBV（61.5％），NASH（50.0％）に多く，アルコール（32.7％），AIH（33.3％），PBC（33.3％）では比較的少ない傾向にあった。また，累積生存率の成因別の検討では，Log-rank試験にて有意差は得られなかったものの，HBV（1年/5年生存率：69.2％/38.4％），NASH（1年/5年生存率：58.3％/43.8％）症例において予後不良の傾向にあり，HCC合併率が高いこととの関連が示唆された。生命予後に関連する因子として，HCC合併，Child-Pugh分類B以上，腹水有が予後不良因子として抽出されたが，食道静脈瘤因子には有意因子を認めず，食道静脈瘤治療後においてもHCCの制御，肝予備能の維持が重要と考えられた。HCC合併症例でも同様に，Child-Pugh分類B以上，腹水有が予後不良因子であったが，HCC関連では門脈腫瘍塞栓，cStage Ⅲ以上，HCC初回治療非奏功が予後不良因子であり，食道静脈瘤治療を要したHCC合併肝硬変症例において長期予後を得るためにはHCC初回治療効果が重要と考えられた。

結　語

食道静脈瘤初回治療肝硬変症例において，HCC合併例，肝予備能低下例は生命予後不良であり，HCCの制御，および肝予備能の維持が生命予後に寄与すると考えられた。HCC合併症例ではHCC初回治療効果の重要性が示唆された。

参考文献

1) Luz GO, Maluf-Filho F, Matuguma SE, et al：Comparison between endoscopic sclerotherapy and band ligation for hemostasis of acute variceal bleeding. World J Gastrointest Endosc 16：95-100, 2011
2) Gimson AE, Ramage JK, Panos MZ, et al：Randomised trial of variceal banding ligation versus injection sclerotherapy for bleeding oesophageal varices. Lancet 342：391-394, 1993
3) Triantos CK, Goulis J, Patch D, et al：An evaluation of emergency sclerotherapy of varices in randomized trials：looking the needle in the eye. Endoscopy 38：797-807, 2006
4) de la Pena J, Rivero M, Sanchez E, et al：Variceal ligation compared with endoscopic sclerotherapy for variceal hemorrhage：prospective randomized trial. Gastrointest Endosc 49：417-423, 1999
5) Baroncini D, Milandri GL, Borioni D, et al：A prospective randomized trial of sclerotherapy

versus ligation in the elective treatment of bleeding esophageal varices. Endoscopy 29：235-240, 1997
6) Harras F, Sheta el S, Shehata M, et al：Endoscopic band ligation plus argon plasma coagulation versus scleroligation for eradication of esophageal varices. J Gastroenterol Hepatol 25：1058-1065, 2010
7) Svoboda P, Kantorova I, Ochmann J, et al：A prospective randomized controlled trial of sclerotherapy vs ligation in the prophylactic treatment of high-risk esophageal varices. Surg Endosc 13：580-584, 1999
8) Akahoshi T, Tomikawa M, Tsutsumi N, et al：Merits of prophylactic sclerotherapy for esophageal varices concomitant unresectable hepatocellular carcinoma：prospective randomized study. Dig Endosc 26：172-177, 2014

30 当科における肝硬変の成因別実態

金沢大学附属病院消化器内科
織田　典明　北原　征明　金子　周一

■ 目　的

治療や診断の進歩に伴う，肝疾患診療拠点病院である当科における初回入院肝硬変症例の成因別実態の変化について明らかにする。

■ 対象と方法

2006年12月から2016年11月までの10年間に当科に入院し臨床的に肝硬変と診断した，延べ4,587例中，初回入院715例（男性447例，女性268例），年齢中央値67（27〜90）歳を対象とした。第54回日本肝臓病学会総会ポスターシンポジウムのプログラムに表記された診断基準に従い成因を分類し，成因別の頻度，年次推移，臨床背景・合併症および予後について検討した。

■ 成　績

1. 成因別頻度（図1）

肝硬変の成因別頻度を図1に示す。肝硬変の成因は，ウイルス性474例（66%）（HBV 86例，HCV 374例，B＋C 14例），アルコール性141例（20%），自己免疫性6例（0.8%），胆汁うっ滞型22例（3%）（原発性胆汁性胆管炎18例，原発性硬化性胆管炎1例，その他3例），代謝性（Wilson病）1例（0.1%），NASH 45例（6%），原因不明26例（4%）であった。肝炎ウイルス関連が全体の約70%を占めていた。

2. 成因別の年次推移（図2）

成因別総数の年次推移を図2aに示す。2007年の年間101例を最大に2016年は年間40例と減少傾向であった。成因別割合の年次推移を図2bに示す。棒グラフの下から3段目までのHBV，HCV，B＋Cを含む肝炎ウイルス関連は2007年の76%を最大に2016年は47%と減少傾向であった。一方，アルコール＋NASHは2017年には全体の32%を占め増加傾向にあった。

3. 成因別の臨床背景・合併症（表1）

成因別の臨床背景・合併症を表1に示す。年齢は，HBV，胆汁うっ滞型が若く，C型が高齢であった。性別は，アルコール性で男性が，胆汁うっ滞型，NASHで女性の割合が高かった。肝癌の合併は，ウイルス性で高率，胆汁うっ滞型で低率であった。大学病院における初回入院というバイアスもあり，肝癌合併例は全体で75%と高率であった。

4. 成因別の予後（肝癌非合併例）（図3）

肝硬変の純粋な予後を評価するため，肝癌非合併例に限定した成因別の累積生存率を図3に示す。統計学的有意差を認めないものの，HBVで

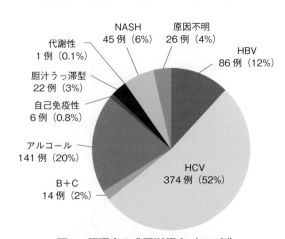

図1　肝硬変の成因別頻度（715例）

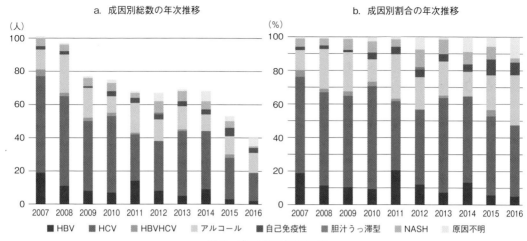

図2 成因別の年次推移

表1 成因別の臨床背景・合併症

	HBV (n=86)	HCV (n=374)	HBV+HCV (n=14)	アルコール (n=141)	胆汁うっ滞 (n=22)	NASH (n=45)
年齢（歳）	61.4±9.5	68.3±9.3	68.6±7.9	64.8±10.3	61.0±15.0	67.6±9.2
男性（%）	73.2	57.2	64.2	90.7	22.7	35.5
PLT（$10^4/mm^3$）	11.8±5.9	9.4±4.9	9.1±3.8	11.4±5.5	13.0±6.1	9.9±4.7
PT（%）	75.9±17.0	74.3±14.7	83.7±16.9	69.2±21.0	72.0±27.3	71.3±16.0
ALT（IU/L）	66.8±100	56.1±38.1	47.0±20.9	40.0±26.0	50.9±34.9	43.4±69.0
ALB（g/dL）	3.6±0.6	3.4±0.5	3.6±0.5	3.4±1.0	3.3±0.8	3.5±0.6
T-BIL（mg/dL）	1.4±1.3	1.3±1.6	1.3±1.6	2.0±2.9	6.6±8.4	1.6±3.3
腹水（%）	24.4	25.6	21.4	36.8	45.4	24.4
静脈瘤（%）	60.6	57.4	41.6	64.5	52.9	65.7
肝癌（%）	86.0	82.3	100	65.2	18.1	64.4

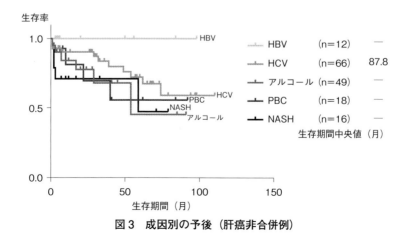

図3 成因別の予後（肝癌非合併例）

は死亡例を認めず予後は良好であり，HCV でも抗ウイルス療法の発展の影響か生存期間が長い傾向にあった。

◼ まとめ

・肝硬変の初回入院数は 2007 年をピークに減少傾向であった。
・肝硬変の成因では，ウイルス性が全体の約 70% を占めていたが，その割合は低下傾向にあり，非ウイルス性が増加傾向であった。
・肝癌非合併例における肝硬変の成因別の予後は有意な差を認めなかった。

31 当科における肝硬変の成因別実態

順天堂大学医学部附属静岡病院消化器内科
佐藤　俊輔　天野　希　佐藤　祥　村田　礼人
廿楽　裕徳　嶋田　裕慈　飯島　克順　玄田　拓哉

■ はじめに

これまで本邦における肝硬変の主な成因は肝炎ウイルスだったが，抗ウイルス療法の進歩やライフスタイルの欧米化に伴い，生活習慣に関連した肝硬変の増加が予測されている．そこで当科における肝硬変の成因別実態調査を行った．

■ 対象と方法

2010年1月から2016年12月までに，当科に入院し肝硬変と診断された438症例を対象とした．

■ 結　果

1. 成因別頻度

B型肝炎ウイルス（HBV）：6.7％，C型肝炎ウイルス（HCV）：46.5％，自己免疫性肝炎（AIH）：3.8％，原発性胆汁性胆管炎（PBC）：3.4％，アルコール性（ALD）：27.1％，非アルコール性脂肪性肝炎（NASH）：4.9％，胆汁うっ滞型：0.2％，うっ血性：0.2％，成因不明：7.1％であった．

2. 年齢分布

入院時の年齢中央値は全体で67歳（男性66歳，女性70歳）であった．成因別では，HBV：63歳，HCV：70歳，AIH：72歳，PBC：68歳，ALD：63歳，NASH：68歳，成因不明：79歳と，HBVとALDで比較的若年であった．

3. 成因別の年次推移

成因別の年次推移を図1に示す．2014年まで肝炎ウイルスが半数以上を占めていたが，2016年には32％まで減少した．ALDは毎年一定数存在し，肝炎ウイルスの減少に伴いその割合が増加を示した．NASHは2010年5.7％だったが，2016

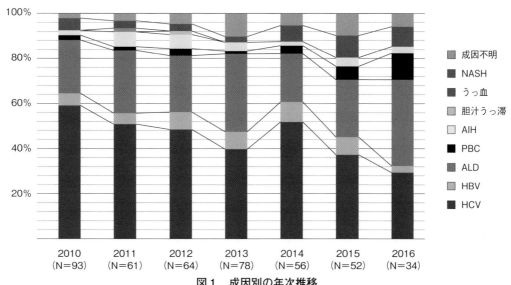

図1　成因別の年次推移

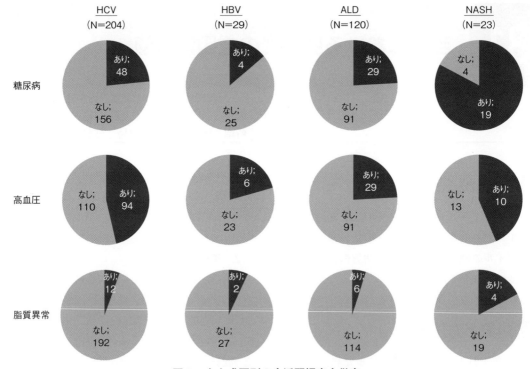

図2 主な成因別の生活習慣病合併率

年では8.8％と増加傾向を示した。

4. 生活習慣病合併率

糖尿病，高血圧，脂質異常症の合併率を主な肝硬変の成因別に示す（図2）。特にNASHにおける糖尿病，高血圧，脂質異常症の合併率は45.5％，45.5％，18.2％と他の成因と比べ高い合併率を示した。

5. 入院契機

主な入院契機は，肝がん：31.5％，食道胃静脈瘤：21.5％，難治性腹水：13.2％，肝性脳症：8.0％，その他の消化管出血：5.3％，感染症：3.9％の順で，肝がんが主な原因であった。

6. 肝がん合併別の成因頻度

肝がん非合併例の主な成因別頻度は，ALD：36.9％，HCV：35.5％，HBV：5.6％，NASH：5.2％，PBC：5.2％，成因不明：5.9％であった。一方肝がん合併例の主な成因別頻度は，HCV：68.9％，ALD：9.3％，HBV：8.6％，NASH：5.3％，AIH：2.0％，成因不明：6.0％であり，肝炎ウイルスが主な原因であることが示された。

7. 累積生存率

全症例における1年累積生存率は62.1％，3年生存率は29.9％であった。Child-Pugh分類（CTP）別の1年生存率はCTP-A/B/C別に92.1/81.6/45.0％，3年生存率は75.7/65.0/39.0％であった。肝がん非合併例の1年生存率はCTP-A/B/C別に94.4/85.2/48.5％，3年生存率は86.1％/71.3％/39.2％であった。肝がん合併例の1年生存率はCTP-A/B/C別に90.0％/74.5％/21.4％，3年生存率は68.7/52.7/7.1％であった。

◼ まとめ

当科の入院患者における肝硬変の成因は肝炎ウイルスが約半数を占めていたが，その割合は減少傾向にあり，近年の進歩した抗ウイルス療法の影響が示唆された。しかしながら，肝がん合併例で

は依然として肝炎ウイルスが成因の大部分を占めており，今後もより積極的な抗ウイルス療法が必要と考えられた。一方，肝がん非合併例では生活習慣に関連した肝疾患が半数近くを占めており，今後は肝がん非合併肝硬変患者の割合が増加することが予想された。

32 長野県における肝硬変の成因実態

信州大学医学部附属病院消化器内科
杉浦　亜弓　城下　智　髙橋　芳之　栗林　直矢　山崎　智生
藤森　尚之　梅村　武司　松本　晶博　田中　榮司

はじめに

　肝硬変は慢性持続性肝障害の終末像であり，その成因は様々である．近年では，C型肝炎（HCV）に対する直接作用型抗ウイルス剤やB型肝炎（HBV）に対する核酸アナログ剤などの治療の進歩がある一方で，生活習慣の変化による非アルコール性脂肪性肝疾患（NAFLD）患者の増加があり，肝硬変の成因が変化してきている．今回われわれは，長野県内における肝硬変の成因別頻度，経年変化を明らかにすることを目的とし，当科および長野県内の関連病院にて肝硬変症と診断された過去40年間の症例を集計し，検討した．

対象と方法

　1976〜2017年の間に当科および関連病院にて形態学的または臨床的所見により肝硬変症と診断された1,877例（男性1,117例，女性760例，年齢中央値63歳（範囲：7〜94歳））を対象とした．肝硬変の病因診断は，HBVはHBs抗原陽性，HCVはHCV抗体陽性，B+C型はHBVとHCVの両方を満たす症例とした．アルコール性（ALD），原発性胆汁性胆管炎（PBC），自己免疫性肝炎（AIH），胆汁うっ滞，Wilson病やヘモクロマトーシスなどの代謝性，うっ血性，NAFLDについては各診断基準に従い診断した．上記の分類に該当しないものは原因不明とした．HCV発見以前の症例については保存血清を用いてHCV抗体を測定した．

結果

　全対象1,877例における成因別の頻度は，HBV：333例（17.7%），HBV＋HCV：12例（0.6%），HCV：1,104例（58.8%），ALD：87例（4.6%），PBC 67例（3.6%），AIH 43例（2.2%），NAFLD 71例（3.8%），その他160例（8.5%）であった（図1）．ウイルス性肝炎が77%と半数以上を占めていたが，後述のように年々その頻度は低下していた．HCVに起因する肝硬変診断時の年齢中央値は66歳であり，HBVの55歳と比して高齢であった．B+C型の年齢中央値は56歳であった．PBCとAIHの年齢中央値はともに65歳であった．成因別に平均年齢の推移をみると，各疾患で平均年齢は上昇しており，高齢化が進んでいた（図2）．男女の比較ではALDは男性の割合が87.6%と多く，続いてHBVが70.6%であった．HCVは56.8%と男性の方がやや多いものの，その差はあまりなかった．これに対しPBCでは23.9%，AIHでは20.5%であり，女性が大半を占めていた．NAFLDでは46.5%と男女の割合はほとんど変わらなかった．年代別の各疾患の割合を比較すると，1976〜2001年ではHBV，HCV，ALD，NAFLD，PBC，AIHはそれぞれ21.3%，59.9%，9.3%，0.2%，2.1%，2.0%であった．2002年〜2017年ではそれぞれ14.8%，58.6%，8.5%，6.9%，5.9%，2.1%であり，2000年代にはウイルス肝炎の割合が減少し（$p<0.001$），NAFLDによる割合が増加していた（$p<0.001$）（図1）．

まとめ

　肝硬変の成因はHCVが58.8%と最多で，ウイルス性肝炎が70%以上を占めていたが，40年間の推移ではウイルス性肝炎は漸減傾向であり，最近の10年間ではNAFLDの割合が増加していた．

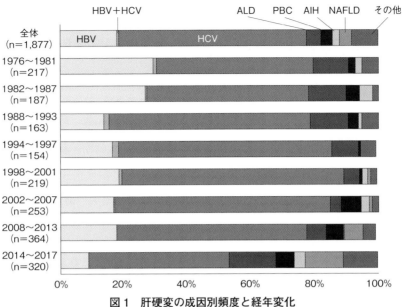

図1 肝硬変の成因別頻度と経年変化

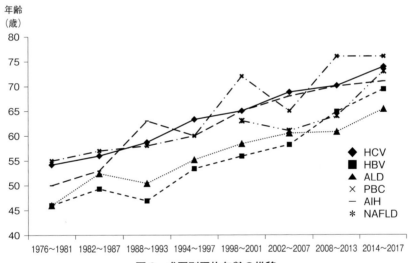

図2 成因別平均年齢の推移

肝硬変患者は高齢化が進んでおり、その背景には治療効果による肝硬変進展抑制の影響が示唆された。肝硬変の成因はその治療効果で年々変化しており、今後も長期的な追跡が必要である。

33 当院における肝硬変の成因別実態

愛知県厚生農業協同組合連合会安城更生病院消化器内科
竹内真実子　山中　裕貴　尾崎　玄　宇野慎二
鈴木　貴也　近藤　重明　安藤　雅能　浅井　清也
市川　雄平　林　大樹朗　石原　誠　細井　努

■ 目　的

前々回（第44回日本肝臓学会総会2008年）[1]，前回（第50回日本肝臓学会総会2014年）[2]と比較し，当院における肝硬変の成因，成因の推移，臨床像を明らかにする。

■ 方　法

対象は2002年5月から2016年3月までに当科に通院歴のある肝硬変患者510例（男性260例，女性250例）。成因別頻度，年齢，発癌状況，予後，死因などについて検討した。成因の分類は「慢性肝炎・肝硬変の診療ガイド2016」[3]に基づいて行った。1）ウイルス性肝炎B型，C型，B+C型，2）アルコール性（AL），3）自己免疫性（AIH），4）胆汁うっ滞型，5）代謝性，6）うっ血性，7）薬物性，8）特殊な感染症，9）非アルコール性脂肪肝炎：NASH，10）原因不明に分類した。

■ 結　果

1. 成因別頻度

1）ウイルス性肝炎B型43例（8.4%），C型339例（66.5%），B+C型2例（0.4%），2）AL 46例（9.0%），3）AIH 19例（3.7%），4）胆汁うっ滞型14例（2.8%），5）代謝性0例（0%），6）うっ血性2例（0.4%），7）薬物性0例（0%），8）特殊な感染症0例（0%），9）NASH 22例（4.3%），10）原因不明23例（4.5%）であり，肝硬変の成因としてはC型が最多であった（表1）。前々回，前回と比較検討すると，いずれも成因ではC型が最も多く，B型，AL性の割合が減少傾向であった。

NASH，原因不明の割合が増加していた（図1）。

2. 年齢

肝硬変と診断された年齢は中央値で65歳であった（35～88歳）。

3. 発癌

初診時肝細胞癌（HCC）を合併していた割合は全体では143例28.0%であった。成因別では1）ウイルス性肝炎B型18.6%，C型32.4%，2）AL 21.7%，3）AIH 5.3%，4）胆汁うっ滞型0%，6）うっ血性0%，9）NASH 31.8%，10）原因不明26.1%でC型に次いでNASHが多かった。初診時HCCの合併を認めず，観察期間中にHCCが出現したのは全体では151例29.6%であった。成

表1　成因別症例数

成因	症例数（例）
1）ウイルス肝炎　①B型	43
②C型	339
③B+C型	2
2）AL	46
3）AIH	19
4）胆汁うっ滞	14
5）代謝性	0
6）うっ血性	2
7）薬物性	0
8）特殊な感染症	0
9）NASH	22
10）原因不明	23

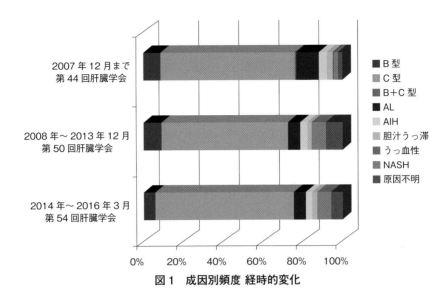

図1 成因別頻度 経時的変化

因別では 1) ウイルス性肝炎 B 型 32.6%，C 型 35.1%，2) AL 17.4%，3) AIH 15.8%，4) 胆汁うっ滞型 7.1%，6) うっ血性 0%，9) NASH 25.0%，10) 原因不明 18.8% であった．発癌時の平均年齢は 68.4 歳であった．

4．予後

観察期間中の死亡例は 206 例 40.4% であった．肝疾患による死亡は肝不全 58 例，HCC105 例，静脈瘤破裂 10 例の計 173 例で全体の 84.0% であった．Kaplan-Meier 法により計算された生存率は NASH で有意に悪かった．

◼ 考 察

抗ウイルス療法の発達により，今後ウイルス性肝炎の割合は低下してくると予測される．NASH では受診の遅れ，定期的な経過観察がなかったことなどが予後不良に影響していると考えられた．

◼ 結 語

今回の検討でも肝硬変の成因では C 型が最多であった．NASH，原因不明の割合が増加していた．

参考文献

1) 肝硬変の成因別実態 2008，恩地森一監，青柳 豊，西口修平，道堯浩二郎編，中外医学社，東京，2008
2) 肝硬変の成因別実態 2014，泉 並木監，医学図書出版，東京，2015
3) 慢性肝炎・肝硬変の診療ガイド 2016，日本肝臓学会編，文光堂，東京，2016

34 当科における肝硬変の成因別実態

福井大学学術研究院医学系部門内科学(2)分野
根本　朋幸　松田　秀岳　野阪　拓人　内藤　達志
大藤　和也　大谷　昌弘　平松　活志　中本　安成

■ はじめに

肝硬変の成因は生活習慣の変化や核酸アナログ製剤および直接作用型抗ウイルス薬の登場により近年変化している。また，肝硬変からの肝細胞癌（HCC）の発癌率は成因によって異なる。今回われわれは当科における肝硬変の成因別実態について検討した。

■ 対象と方法

2006年4月から2016年12月までに当科に受診した肝硬変症例を対象とした。2011年3月で前期と後期に分け前期群と後期群とした。肝硬変の診断は組織検査および画像検査で行った。成因は，「慢性肝炎・肝硬変の診療ガイド2016」に従い，1）ウイルス性肝炎，2）アルコール性（Al），3）自己免疫性，4）胆汁うっ滞型，5）代謝性，6）うっ血性，7）薬物性，8）特殊な感染症，9）非アルコール性脂肪肝炎（NASH），10）原因不明に分類した。各成因の臨床的特徴を検討した。統計解析は，χ^2検定，Mann-Whitney U検定，Kruskal-Wallis検定，生存率はKaplan-Meier法を用いて，log-rank検定を行った。

■ 結　果

肝硬変症例は488例で，男性295例（60.5％），女性193例（39.5％），年齢中央値70.0歳（35～93歳）であった。成因別頻度ではB型30例（6.1％），C型207例（42.4％），B＋C型5例（1.0％），Al 155例（31.8％），自己免疫性13例（2.7％），胆汁うっ滞型26例（5.3％），うっ血性2例（0.4％），薬物性1例（0.2％），NASH 20例（4.1％，うち組織診断例12例），原因不明29例（5.9％）であった。前期群と後期群の性別（男性/女性），年齢中央値はそれぞれ，154/104：141/89，69.7歳：70.5歳であった。成因別（％）（B/C/B＋C/Al/胆汁うっ滞型/NASH（組織診断例）/その他）では，前期群は17（5.8）/125（42.8）/4（1.4）/71（24.3）/9（3.1）/9（5）（4.5）/23（8.9），後期群は13（5.7）/82（35.7）/1（0.4）/84（36.5）/17（7.4）/11（7）（4.8）/22（9.6）であり，後期群でC型が減少し（p＝0.004），Alが増加した（p＝0.033）（図1）。成因別の年齢中央値（B/C/Al/胆汁うっ滞型/NASH）は66/72/66/73/67歳でC型に比べAlで有意に若く（p<0.0001），BMI中央値は23.8/22.0/22.3/22.8/29.7 kg/m^{2}でC型に比べNASHで有意に高値であった（p<0.0001）。性別は男性比が73/51/87/12/40％で，C型に比べAlで男性が，胆汁うっ滞型で女性が有意に多かった（p<0.0001，p＝0.0002）。糖尿病の合併率は33/29/27/31/75％でNASHで有意に高率であった（p＝0.0006）。Child-Pugh分類の頻度（A/B/C）（％）はB型47/33/20，C型50/42/8，Al 31/46/23，胆汁うっ滞型27/65/8，NASH 80/15/5でB型とAlはC型より有意にgrade Cが多かった（p＝0.0006，p<0.0001）。HCC合併率（B/C/Al/胆汁うっ滞型/NASH）は63/64/30/23/45％でAlはB型とC型より有意に少なかった（p＝0.0006，p<0.0001）（図2）。生存期間中央値は2.2/3.4/3.3/4.7/5.3年で，Alの死亡時年齢中央値は70.2歳でC型の75.2歳より有意に低かった（p＝0.0003）。Alの通院中断例は32例20.6％であった。

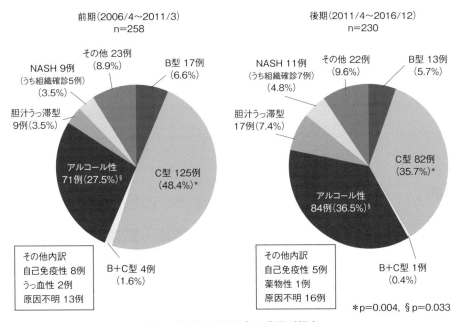

図1 期間別の肝硬変の成因別頻度

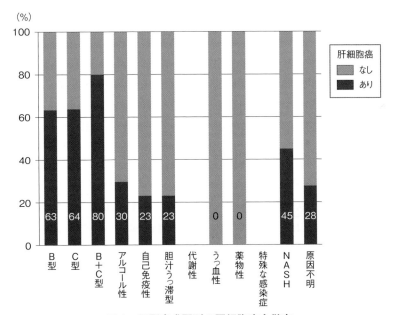

図2 肝硬変成因別の肝細胞癌合併率

◾ 考　察

　B型は肝予備能低下例，HCC合併例が多く予後不良の原因と考えられた．Alは肝予備能低下例，通院中断例が多く，HCC合併率は低いことから，肝機能低下を防ぐ対策が十分でないことが低い死亡年齢の要因と推察された．

◾ 結　語

　当科における肝硬変の成因では2011年3月で区切るとC型肝硬変が減少し，アルコール性肝硬変が増加していた．アルコール性肝硬変の予後は他に比べ不良で，改善には早期の積極的な治療介入が重要と考えられた．

35 当院での肝硬変成因別実態

名古屋市立大学大学院消化器・代謝内科
野尻　俊輔　藤原　圭　松浦健太郎　飯尾　悦子　松波加代子

■ 目　的

慢性肝疾患の終末像である肝硬変（LC）の成因はさまざまであるがここ10年間でC型肝炎はインターフェロン治療からDAAの登場でほぼ根治の見込める状態となり，食生活の変化により非アルコール性脂肪肝炎（NASH）が増加してきているといわれている．今回当院における肝硬変の成因とその特徴について検討した．

■ 方法・対象

対象は2013年から2017年までの5年間に当科で診断された肝硬変388例（肝細胞癌合併例137例）である．男性212例，女性176例で成因，LC診断時年齢，肝細胞癌合併の有無および診断時年齢につきわれわれの施設での2003～2007年の5年間と比較検討した．

■ 成績・結果

全症例388例の平均年齢は68±13歳．成因別ではB型25例（6%），C型118例（30%），B+C型2例（1%），アルコール性104例（27%），自己免疫性肝炎8例（2%），胆汁うっ滞性18例（5%），臨床的NASH 92例（24%），うっ血性9例（2%），代謝性2例（1%），不明10例（3%）である（表1）．LC診断時の年齢はB型64±9，C型72±10，B+C型82±4，NASH 71±11，アルコール性63±12，自己免疫性肝炎77±12とC型とNASHはB型とアルコール性に対し有意に高齢であった（p<0.01）．肝細胞癌合併頻度はB型14例

表1　2013～2017 Causes of LC and frequency of the occurrence of HCC

成因	例数（%）	男女	年齢	HCC合併率（%）	HCC発症年齢
B型	25（6%）	13：12	64±9	14（56%）	66±8.0
C型	118（30%）	54：64	72±10	62（53%）	73±10
B+C	2（1%）	1：1	82±4	1（50%）	
アルコール	104（27%）	86：18	63±12	24（23%）	64±12.0
AIH	8（2%）	1：7	77±12	1（13%）	
胆汁うっ滞	18（5%）	4：14		2（11%）	75±8
NASH	92（24%）	37：55	71±11	29（32%）	
うっ血性	9（2%）	7：2	32±22	1（11%）	
代謝性	2（1%）	2：0		1（50%）	
原因不明	10（3%）	7：3	79±3	2（20%）	
合計	388	212：176	68±13	137（35%）	71±10

＊$p<0.05$　＊＊$p<0.001$

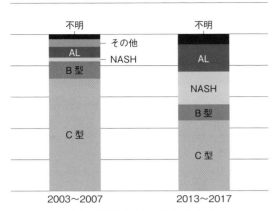

図1 当院でのHCC初発成因

(56%)，C型62例（53%），B＋C型1例（50%），アルコール性24例（23%），NASH 29例（32%）でありB型，C型による発癌はアルコール，NASHによる発癌より高率であった（p＜0.05もしくはp＜0.01）。肝細胞癌発生年齢はB型66±8，C型73±10，アルコール性64±12，NASH 75±8でありC型とNASHは他の原因より有意に高年齢であった（p＜0.05もしくはp＜0.01）。

◼ 考　案

C型肝硬変は肝硬変の成因として依然第一位を占めたが，ウイルス性としては36％で前回調査時の68％より大きく減少した。アルコール性は27％でその他NASHや原因不明が増加していた。診断時年齢は10年前より5歳上昇しており，より高齢での診断となっていた。中でもC型とNASHは高齢化が目立ち，B型とアルコール性は前回同様比較的年齢が低い。肝癌合併率はC型とB型がアルコール性やNASHによる肝癌発生率より優位に高かった。

また初発の肝細胞癌原因（図1）としてはC型が最多で次いでNASHが多いが10年前と比較するとB型は横ばい，C型の割合が急速に減少し非ウイルス性であるNASHやアルコール性による発癌の割合が増加している。今回の調査では腹水，静脈瘤の合併率，肝性昏睡合併率は成因別での有意差は認めず，10年前と比較してもその発生頻度などの傾向に変化は認めなかった（data not shown）。

◼ 結　語

この10年間でC型肝炎の減少によりウイルス性肝硬変の割合が減少し代わりにアルコールやNASHさらに原因不明とされる肝硬変が増加してきている。NASH肝硬変からの発癌はC型よりは低率であるが絶対数が増加しており，アルコール性に比べ肝硬変診断時および肝癌発症年齢が高齢であるため十分で慎重な経過観察が必要である。

36 三重県中勢地区における肝硬変の成因別実態

*1 三重大学医学部消化器肝臓内科 *2 国立病院機構三重中央医療センター消化器内科
長谷川浩司*1　竹井　謙之*1　竹内　圭介*2

■ 目　的

慢性肝炎・肝硬変の診療ガイド2016にあげられた成因別に三重県の2肝疾患専門医療機関におけるその実態につき検討を行った。

■ 対　象

1998年から2017年までに肝臓専門医テキスト改訂第2版に基づき肝硬変と診断した1,228例を対象とした。平均年齢67.3±10.8歳（15歳～95歳, 中央値68歳）, 男性818例（66.0±10.5歳）, 女性410例（69.9±10.9歳）。成因別では1）ウイルス性肝炎695例で, その内訳はHBV型97例, HCV型593例, HBV＋HCV型5例, 2）アルコール性268例, 3）自己免疫性11例, 4）胆汁うっ滞型37例, 5）代謝性1例, 6）うっ血性4例, 7）薬物性0例, 8）特殊な感染症0例, 9）非アルコール性脂肪性肝炎41例, 10）原因不明171例であった。おのおのの男性の占める割合は1）64.5％, 2）92.2％, 3）27.3％, 4）16.7％, 5）0％, 6）50％, 7）0％, 8）0％, 9）46.3％, 10）54.7％であった。なおNASHは組織診断で確定しえた症例をNASH肝硬変とし, その他の脂肪性肝炎は原因不明に分類をした。

■ 方　法

診断, 発症年で20年間を5年ごとにⅠ期（1998～2002年）291例, Ⅱ期（2003～2007年）323例, Ⅲ期（2008～2012年）341例, Ⅳ期（2013～2017年）273例の4期に分け, 各成因の推移, 肝癌, 静脈瘤の合併および生存率について後方視的に検討を行った。

■ 成　績

成因の推移はⅠ期：1）178例（HBV型25例, HCV型153例）, 2）44例, 3）2例, 4）4例, 5）0例, 6）0例, 7）0例, 8）0例, 9）0例, 10）63例, Ⅱ期：1）220例（HBV型30例, HCV型188例, HBV＋HCV型2例）, 2）55例, 3）3例, 4）7例, 5）0例, 6）0例, 7）0例, 8）0例, 9）2例, 10）36例, Ⅲ期：1）174例（HBV型22例, HCV型149例, HBV＋HCV型3例）, 2）91例, 3）3例, 4）16例, 5）0例, 6）0例, 7）0例, 8）0例, 9）5例, 10）52例, Ⅳ期：1）123例（HBV型20例, HCV型103例）, 2）78例, 3）3例, 4）10例, 5）1例, 6）4例, 7）0例, 8）0例, 9）34例, 10）20例であった（図1）。肝癌合併率は全体で62.2％, Ⅰ期58.8％, Ⅱ期76.3％, Ⅲ期58.1％, Ⅳ期53.0％であった。静脈瘤の合併率は全体で57.1％, Ⅱ期81.8％, Ⅲ期56.7％, Ⅳ期50.0％であった。全体の5年生存率は31.0％, Ⅰ期26.4％, Ⅱ期26.4％, Ⅲ期32.9％, Ⅳ期の4年生存率69.2％であった（図2）。C-P分類の割合の推移をみるとA：Ⅰ期62.8％, Ⅱ期50.0％, Ⅲ期57.9％, Ⅳ期59.0％, B：Ⅰ期31.4％, Ⅱ期41.8％, Ⅲ期35.5％, Ⅳ期34.0％, C：Ⅰ期5.8％, Ⅱ期8.2％, Ⅲ期6.6％, Ⅳ期7.0％であった。

■ 考察および結語

ウイルス性肝炎治療の進歩によりC型肝硬変は減少傾向にあった。アルコール性肝硬変, NASHおよび原因不明肝硬変が相対的に増加傾向にあった。肝癌と静脈瘤の合併に関して有意差はみられないものの, おのおのの減少傾向にあった。

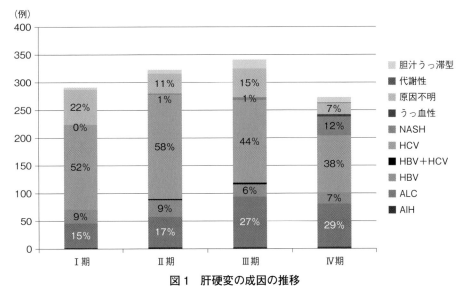

図1 肝硬変の成因の推移
三重大学および関連施設　1998年から2017年までの20年間
1,228例（M 818例，F 410例）平均年齢67.3±10.8歳

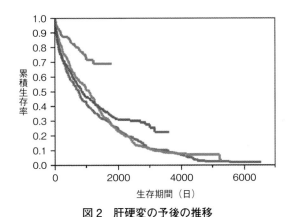

図2　肝硬変の予後の推移

C-P分類の比率については各期間で変化はみられなかった。累積生存率はⅣ期で改善傾向がみられた。その原因としてウイルス性肝炎を中心に加療がなされ，経過観察をされている症例の増加が考えられた。

37 当院における肝硬変症の成因別実態

＊1 大垣市民病院消化器内科　＊2 大垣女子短期大学
三宅　望＊1　多田　俊史＊1　安田　諭＊1　豊田　秀徳＊1　熊田　卓＊2

■ はじめに

肝硬変症（LC）の成因は肝炎ウイルスの抑制・排除が可能となったことや生活習慣が変化していることなどから大きく変貌している。今回われわれは当施設におけるLCの予後を成因別に検討した。

■ 対象と方法

対象は1990年から2016年までに当院で経験した慢性肝疾患のうち、1年以上経過観察され、肝発癌例は経過観察開始後1年以降の発癌で、肝炎ウイルスの情報と各種臨床データが得られておりAPRI（AST to platelet ratio index）が1を超える2,122例（うち692例は肝生検・肝切除で組織学的に肝硬変を確認）である。これらを下記に示す定義により成因分類した。HBs抗原陽性例をB型、HCV抗体陽性かつHCV-RNA陽性例をC型とした。ともに満たすものをB+C型とした。肝炎ウイルスマーカー陰性で、抗核抗体陽性もしくはIgG（基準上限値>1.1倍）で副腎皮質ステロイドが著効し他肝疾患を除外したものを自己免疫性肝炎[1]、血清胆道系酵素（ALP, γ-GTP）の上昇を認め組織学的に慢性非化膿性破壊性胆管炎が証明されるか、抗ミトコンドリア抗体陽性で臨床像や経過から原発性胆汁性胆管炎（PBC）と考えられるものを胆汁うっ滞型[2]とした。上記以外で5年以上過剰飲酒（純エタノール換算で男性60g/日以上、女性40g/日以上）歴があり禁酒で肝障害が改善するものをアルコール性[3]、過度の飲酒がなく（純エタノール換算で男性30g/日未満、女性20g/日未満）、高脂血症・糖尿病・高血圧・肥満症の既往があるものを非アルコール性脂肪性肝疾患（NAFLD）[4]とした。分類不能の上記以外を原因不明とした。累積肝発癌率、累積生存率はKaplan-Meier曲線で解析し、Log-rank検定を用いて比較した。年代・成因別に肝疾患関連死、非肝疾患関連死について競合リスク法で検討し、多変量解析はFine and Greyハザードモデルを用いた。

■ 成　績

1. 肝硬変の成因別頻度（表1）と年代別成因頻度（図1）

対象2,122例全体では男性1,222例/女性900例、年齢中央値64［四分位範囲57～70］歳、観察期間中央値8.6［4.4～14.0］年であった。成因はC型が54.3％と半数以上を占めており、アルコール性12.7％、B型7.9％が続いた。性別はウイルス性、アルコール性、NAFLDで男性が多く、自己免疫性肝炎、胆汁うっ滞型で女性が多かった。年齢中央値はB型が若年で、胆汁うっ滞型と自己免疫性肝炎が高齢であった。肝細胞癌（HCC）発症率はウイルス性で32.1～37.2％であり他成因と比して高い傾向にあった。

また初回受診日を基準として年代を1990～1994年、1995～1999年、2000～2004年、2005～2009年、2010年以降の5群に分類した。1990～1994年での成因はC型が83.7％と大多数を占めており、残りをB型5.0％、アルコール性2.9％など他成因で構成していた。一方2010年以降ではC型が33.9％と減少、B型6.2％、アルコール性19.7％、自己免疫性肝炎6.9％、NAFLD 6.9％など非ウイルス性が過半数を占めるようになった。経時的にC型が減少、他成因が有意に増加

表1 肝硬変の成因別頻度

	症例数	男性	/	女性	年齢（歳）	HCC発症
B型	168（7.9%）	107（63.7%）	/	61（36.3%）	54.5［46.0〜62.0］	54（32.1%）
B＋C型	23（1.1%）	13（56.5%）	/	10（43.5%）	61.0［54.5〜64.0］	8（34.8%）
C型	1,152（54.3%）	617（53.6%）	/	535（46.4%）	64.0［58.0〜69.0］	428（37.2%）
アルコール性	270（12.7%）	242（89.6%）	/	28（10.4%）	61.0［53.0〜68.0］	28（10.4%）
自己免疫性肝炎	113（5.3%）	40（35.4%）	/	73（64.6%）	65.5［60.0〜72.3］	8（7.1%）
胆汁うっ滞型	11（0.5%）	2（18.2%）	/	9（81.8%）	70.0［62.0〜75.0］	1（9.1%）
NAFLD	87（4.1%）	46（52.9%）	/	41（47.1%）	63.0［55.0〜68.0］	6（6.9%）
原因不明	298（14.0%）	155（52.0%）	/	143（48.0%）	69.5［63.0〜76.0］	21（7.0%）
全体	n＝2,122	1,222（57.6%）	/	900（42.4%）	64.0［57.0〜70.0］	554（26.1%）

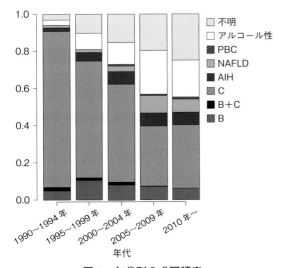

図1　年代別の成因頻度

した（p＜0.001）。

2. 成因別の累積発癌率（図2a）と累積生存率（図2b）

成因をB型/C型/非B非C（NBNC）型に大別し累積発癌率をみるとそれぞれ10年で35.7%/37.0%/9.2%，20年で46.0%/62.5%/23.7%とNBNC型で有意に低率であった（p＜0.0001）。

次にB型/C型/NBNC型の累積生存率をみるとそれぞれ10年で75.4%/71.0%/79.8%，20年で57.0%/40.7%/53.3%とC群で予後不良であった（p＝0.0002）。

3. 成因別死因（図3）と年代別死因

競合リスクモデルを用いて観察期間20年時点でのB型/C型/NBNC型の肝疾患関連死（肝不全，食道静脈瘤破裂，肝細胞癌）・非肝疾患関連死（他臓器癌，感染症，心・腎・脳神経疾患などの血管障害，外傷等）を比較するとB型で31.7%・11.3%，C型で39.3%・20.0%，NBNC型で19.4%・27.2%とNBNC型でのみ非肝疾患関連死が高かった。

肝疾患関連死における多変量解析（投入因子：成因，ALBI grade，FIB4 index，糖尿病有無，飲酒歴，性別）ではC型でNBNC型に対してHazard ratio（HR）2.05（95%CI＝1.52〜2.78；p＜0.0001），ALBI grade 1に対して2〜3でHR 2.15（95%CI＝1.68〜2.75；p＜0.0001），FIB4 index≧3.25でHR 1.51（95%CI＝1.08〜2.11；p＝0.016），飲酒ありでHR 1.45（95%CI＝1.08〜1.94；p＝0.013）と有意な因子であった。

非肝疾患関連死における多変量解析（投入因子：同上）ではALBI grade 1に対して2〜3でHR 1.51（95%CI＝1.05〜2.15；p＝0.025），FIB4 index≧3.25でHR 3.38（95%CI＝1.76〜6.52；p＝0.0003），男性でHR 2.11（95%CI＝1.37〜3.26；p＝0.0007）と有意な因子であった。

年代別に検討すると肝疾患関連死は1990〜1994年，1995〜1999年，2000〜2004年，2005〜2009年，2010年以降でそれぞれ69.1%，64.5%，60.2%，46.9%，37.0%と有意に減少した（p＝0.0004）。

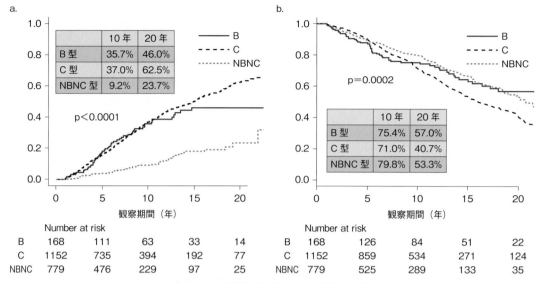

図2　a：累積肝発癌率，b：累積生存率

一方で非肝疾患関連死は有意に増加した。B 型 /C 型 /NBNC 型に分けて解析を行ったがいずれも同様の傾向を示した。

◼ 考　察

当院は西濃医療圏約 37 万人を対象とする基幹病院であり，人口の流入出が少ないため長期間追跡している症例が多く，高齢化率が 27.6% と全国平均 26.6% よりも高い点が特徴である[5]。直近の全国統計[6]では C 型は減少傾向だが 53.3% と半数を占めており当院も 54.3% とほぼ同等の結果となった。B 型，NBNC 型と比して累積肝発癌率，累積生存率が有意に悪いのは LC 症例がインターフェロンベースの治療で恩恵をこうむることができなかったためと考える。2014 年 9 月に Direct acting antivirals（DAAs）が認可され多くの C 型症例でウイルス排除が可能となり今後も減少傾向が続くと推察される。一方で B 型は全国統計で 12.4% に対し当院では 7.9% と少ないが以前から同様であり地域性の可能性がある。B 型は若年者かつ肝疾患関連死が多い特徴があり肝疾患の制御が重要である。自己免疫性肝炎は全国統計で 1.8% に対して当院では 5.3% と多かった。自己免疫性肝炎が高齢女性に多いことに加え，全国統計が男女比 1：0.57 であるのに対し当院が 1：0.74 と女性の割合が高いことが影響していると推察される。アルコールは全国統計で 17.6% に対して当院は 12.7% と低値であったが経時的に増加傾向である点では同様である。本研究では初診時から 1 年以内の肝発癌症例は除外されているため，肝細胞癌を契機に肝硬変が診断されることが多い NAFLD の割合は潜在的により多いと思われる。加えて NBNC 型は非肝疾患関連死の割合がウイルス性と比して高く肝疾患のみならず他疾患への介入も重要となることが示唆された。

◼ 結　論

当院で経験した 27 年間の LC 症例を成因別に分類し予後を検討した。抗ウイルス療法の普及でウイルス性の LC の予後は明らかに改善したが非ウイルス性の死因は非肝疾患関連死の方が多く全身管理の必要性が再認識された。

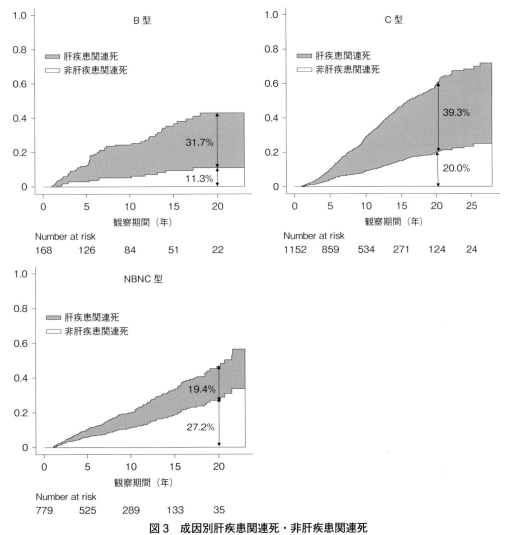

図3 成因別肝疾患関連死・非肝疾患関連死

参考文献

1) 自己免疫性肝炎（AIH）診療ガイドライン（2016年），厚生労働省難治性疾患政策研究事業「難治性の肝・胆道疾患に関する調査研究」班編集，pp.11-22，2017
2) 原発性胆汁性肝硬変（PBC）診療ガイドライン（2017年），厚生労働省難治性疾患政策研究事業「難治性の肝・胆道疾患に関する調査研究」班編集，pp.8-15，2017
3) アルコール性肝障害診断基準（2011年版），日本アルコール医学生物学研究会（JASBRA），2012
4) NAFLD/NASH診療ガイドライン2014，日本消化器病学会編，pp.16-18，2014
5) 地域医療情報システム，日本医師会（2015年国勢調査総人口より抜粋）
6) 泉　並木，玉城信治：肝硬変の成因別実態2014全国の集計．肝硬変の成因別実態2014，泉　並木監修，医学図書出版，東京，pp.1-3，2015

38 当施設における肝硬変の成因別分類

山梨大学第一内科
村岡 優　井上 泰輔　中岫奈津子　松田 秀哉　佐藤 光明
中山 康弘　前川 伸哉　坂本 穣　榎本 信幸

■ 緒　言

B型肝炎，C型肝炎に対する抗ウイルス薬開発により肝炎ウイルスの制御がなされるようになったが，ウイルス制御下の発癌など残された課題もある。加えて，近年ではアルコール性，非アルコール性脂肪肝炎（NASH）などの非B非C型肝硬変からの発癌も増加している。

肝硬変患者の成因別実態を明らかにするために当施設の肝硬変症例を成因別に分類し，比較検討した。

■ 対象と方法

2013年11月1日から2017年10月31日に当施設に初回入院した肝硬変患者210例を対象として成因別に分類し臨床的背景を比較検討した。また，日本住血吸虫症の合併についても検討した。

■ 結　果

肝硬変の成因はB/C/アルコール性（ALD）/自己免疫性肝炎（AIH）/胆汁うっ滞型/薬物性/NASH/不明：11（5.2%）/126（60%）/37（17.6%）/6（2.9%）/6（2.9%）/1（0.5%）/16（7.6%）/7（3.3%）であり，胆汁うっ滞型は全例原発性胆汁性胆管炎（PBC），薬物性1例はメソトレキセートによる肝硬変であった。NASH 16例は全て臨床的に診断した症例であった。平均年齢/性別（男/女）は，B：62.1/（9/2），C：69.9/（76/50），ALD：68.3/（30/7），胆汁うっ滞型：68.3/（1/5），薬物性：40/（1/0），NASH：73/（10/6），不明：71/（4/3）であった。日本住血吸虫症の合併は14例（6.7%）にみられ，日本住血吸虫症以外に肝硬変の原因がない症例は1例（0.5%）のみであった。当施設の検討で日本住血吸虫症のみの肝硬変は1991～1997年/1998～2007年/2007～2013年：1.4%/1.5%/0.7%であり，経時的に減少している。肝硬変のうちHCC合併は117例あり，成因はB/C/ALD/AIH/胆汁うっ滞型/NASH/不明：10（8.5%）/66（56.4%）/20（17.1%）/2（1.7%）/2（1.7%）/12（10.3%）/5（4.3%）であった（図1）。HCC合併例のうち，糖尿病合併率はB：20%，C：19.7%，ALD：30%，AIH：50%，胆汁うっ滞型：0%，NASH：66.7%，不明：80%であり，非B非C型のHCC例では糖尿病合併率が高かった（B, C vs. 非B非C：19.7% vs. 46.3%，p＜0.01）。当施設の検討では2007～2013年のHCCを合併した肝硬変の成因（%）はB/C/ALD/AIH/NASH/その他：8.6/75.6/9.6/1.0/1.0/4.2であり，Bは著変なく，Cが減少し，NASHが増加していた（2007～2013年 vs. 2013～2017年：C 75.6% vs. 56.4%，p＝0.02, NASH 1.0% vs. 10.3%，p＜0.01）。

■ 考　案

近年C型肝炎による肝硬変，HCC例が減少し，一方でNASHが増加している。非B非C型のHCC例では糖尿病合併率が高く，糖尿病の合併はHCCの高リスクである。また，本邦の日本住血吸虫症は1996年に流行終息宣言がなされ，日本住血吸虫症由来の肝硬変は減少してきている。

■ 結　語

肝硬変，HCCの成因はC型が減少し，糖尿病を合併した非B非C症例が増加している。

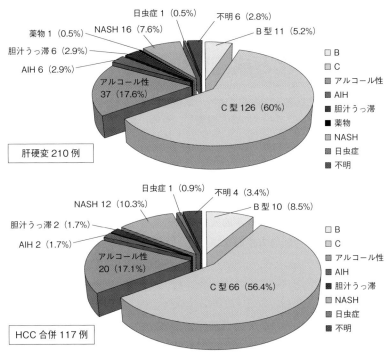

図1　肝硬変の成因別分類

39 当院における肝硬変成因別実態の経年的変化と成因別の傾向

*1 滋賀医科大学内科学講座（消化器内科）　*2 滋賀医科大学附属病院栄養治療部

大﨑　理英[*1]　藤本　剛英[*1]　高橋憲一郎[*1]　西田　淳史[*1]
馬場　重樹[*2]　稲富　理[*1]　安藤　朗[*1]

■ 目　的

当院における肝硬変患者の各疾患別の経年的変化と特徴を明らかにするため，今回後方視的な調査を行った。

■ 対　象

対象は2013年4月から2018年3月までに当院消化器内科を受診した肝硬変患者202例（2013年度111例，2014年度127例，2015年度136例，2016年度140例，2017年度136例）である。

■ 成　績

全例の成因内訳は，①ウイルス性84例41.4%（B型肝硬変6.9%，C型肝硬変34.6%）（肝癌合併49例58.3%），②アルコール性47例23.2%（肝癌合併20例42.6%），③自己免疫性11例5.4%（肝癌合併3例25.0%），④胆汁鬱滞性16例7.9%（肝癌合併3例18.8%），⑤代謝性2例1.0%（肝癌合併0例），⑥うっ血性2例1.0%（肝癌合併0例），⑦薬物性0例，⑧特殊な感染症1例0.5%（肝癌合併0例），⑨非アルコール性脂肪性肝炎NASH 29例14.3%（このうち肝生検で診断された症例は8例）（肝癌合併5例17.2%），⑩原因不明9例4.3%（肝癌合併0例）であった。全症例のうち，発癌は82例40.4%であった。前回調査時（2008年度から2012年度，対象人数252名）と比較すると，ウイルス性肝炎の減少（55.9%から41.6%），特にC型肝炎の減少（51.6%から34.7%）の一方，NASHは3.6%から14.4%に増加していた（図1）。アルコール性肝硬変の割合は調査期間内の変化はなかったが，年度毎で検討したところ，2014年度は14.4%が2016年度から増加し，2017年度には22.8%まで上昇していた。肝疾患で2017年度に当院に通院した539例を解析すると，C型肝炎28.9%，B型肝炎19.1%，アルコー

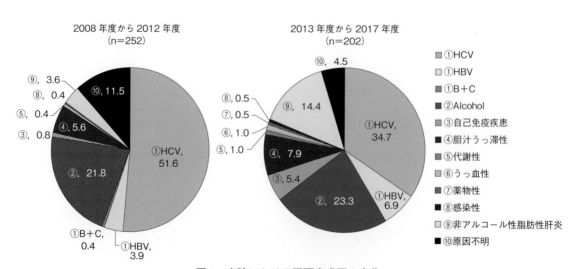

図1　当院における肝硬変成因の変化

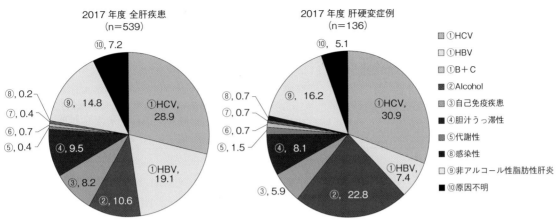

図2 2017年度当科通院肝疾患患者の内訳

ル性10.6％，NASH 14.8％であった（**図2**）。このうち肝硬変症例の割合は，C型肝炎26.9％，B型肝炎9.7％，アルコール性54.4％，NASH 27.5％であり，アルコール性で肝硬変合併率が極めて高く，B型肝炎は少なかった。C型肝炎，アルコール性，NASHについて，当院通院した肝硬変患者の特徴を検討した。C型肝炎では男性31.0％と女性の割合が多く，初診時の年齢は2017年度77歳と，他疾患に比較して高齢であった。肝硬変患者の割合は2008年度の52.8％から減少し，2017年度には30.9％であった。生活習慣病の合併は高血圧症が最も多く37.1％，次いで糖尿病25.7％であった。アルコール性は男性が91.5％，初診時の平均年齢は63歳と最も若かった。初診が肝硬変の合併症状である例も多く，原発性肝癌21.7％，食道静脈瘤破裂10.9％，腹水貯留10.9％などであった。NASHは男性が41.4％，初診時の平均年齢は64歳であった。生活習慣病の合併が多く，糖尿病を55.7％，高血圧症を51.2％，高脂血症を65.5％に合併していた。当院の特徴としては，ウイルス性肝炎の治療が進む一方で，アルコール性とNASHが増加していた。アルコール性およびNASHについては，ウイルス性肝炎に比してより若い年代に，自覚症状のないまま悪化して来院する症例が多く，早期の受診や生活介入につなげるための疾患啓発がより重要であると考えられた。また，生活習慣病の点では糖尿病や循環器，アルコール性疾患については精神科など，他診療科との連携が，今後より重要になると考えられた。

40 当院にて入院加療を要した肝硬変患者における成因別実態

公益財団法人日本生命済生会日本生命病院消化器内科
北田　隆起　中村　秀次　荻巣　恭平
河田奈都子　村本　理　有坂　好史

■ はじめに

近年，各種抗ウイルス薬の出現によりウイルス性の慢性肝炎から肝硬変への進行の抑制が可能となってきているが，一方でNASH/NAFLDやアルコール性肝障害が問題となってきている。今回，われわれは当院における入院加療を要した肝硬変患者の成因別実態を明らかにし，肝癌合併率および予後との関連性を検討した。

■ 対象と方法

2007年6月から2017年5月までの10年間で当院入院歴のある肝硬変患者165例を対象とした。男性／女性：93例／72例，年齢中央値：66.8歳（45歳～88歳），背景因子はHBV：9例（5.4％），HCV：75例（45.4％），アルコール性肝障害：51例（30.9％），NASH/NAFLD：7例（4.2％），PBC：6例（3.6％），AIH：5例（3.0％），成因不明：12例（7.2％）であり背景因子ごとに肝癌合併率および予後に関しての比較検討を行った（図1）。

■ 成　績

HCV群ではChild-Pugh grade A/B/C：44例／26例／5例，Child-Pugh score中央値：6.6点，T-Bil：1.3mg/dL，Alb：3.5g/dL，PT：77％，アルコール性肝障害群ではChild-Pugh grade A/B/C：13例／29例／9例，Child-Pugh score中央値：8.0点，T-Bil：2.5mg/dL，Alb：3.2g/dL，PT：66％であった。各群での肝癌合併率はHBV：5例（55％），HCV：47例（63％），アルコール性肝障害：17例（33％），NASH/NAFLD：4例（57％），PBC：2例（33％），AIH：3例（60％），成因不

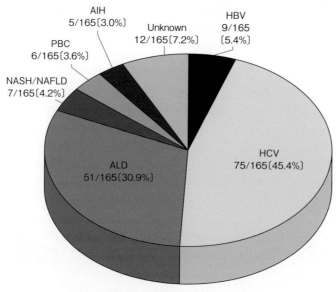

図1　Proportion of patients(n = 165)

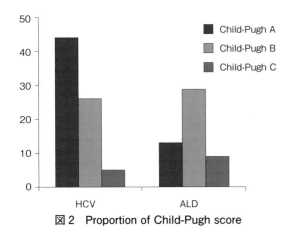

図2 Proportion of Child-Pugh score

明：6例（50％）であった．また肝癌合併症例（男性／女性：50例／34例）ではChild-Pugh score中央値：6.9点，T-Bil：1.7mg/dL，Alb：3.5g/dL，PT：76％，生存期間中央値は47.0ヵ月であり，一方で肝癌非合併症例（男性／女性：43例／38例）ではChild-Pugh score中央値：7.4点，T-Bil：1.9mg/dL，Alb：3.4g/dL，PT：71％，生存期間中央値は46.1ヵ月であった．HCV群における肝癌合併症例(47例)ではChild-Pugh score中央値：6.6点，生存期間中央値は48.9ヵ月であり，非合併症例（28例）ではChild-Pugh score中央値：6.7点，生存期間中央値は49.3ヵ月であった．アルコール性肝障害群における肝癌合併症例（17例）ではChild-Pugh score中央値：7.5点，生存期間中央値は41.6ヵ月であり，非合併症例（34例）ではChild-Pugh score中央値：8.2点，生存期間中央値は52.6ヵ月であった（図2）．

結　果

　上記結果より当院における肝癌の背景因子としてHCVが最も多く，アルコール性肝障害がそれに次ぐ形であった．アルコール性肝障害が多かった要因として地域性や社会背景が影響したものと推測した．また入院を要する肝硬変患者では肝癌非合併症例においても比較的予後は不良であった．

41 当院における肝硬変の成因別実態

関西労災病院消化器内科

清水　聡　山崎　春香　須永　紘史　山岡　祥　三重　堯文
芦田　宗宏　水本　塁　有本　雄貴　太田　高志　戸田万生良
山口真二郎　糸瀬　一陽　伊藤　善基　萩原　秀紀　林　紀夫

■ 目的・方法

現在の肝硬変の実態を明らかにするために，2017年11月の時点で当科通院中の肝硬変症例331例（男性179例，女性152例）について成因別に検討を行った。2013年11月にも肝硬変症例297例（男性159例，女性138例）について同様の検討を行っており，当時のデータと比較を行った。

■ 成　績

HBs抗原単独陽性例は37例（11.2％）であった。そのうちアルコール多飲歴1例，抗ミトコンドリア抗体陽性1例を認めた。HCV抗体単独陽性例は162例（48.9％）であり，そのうち52例（全体の15.7％）が抗ウイルス治療によりHCV排除後であった。またHCV抗体単独陽性例のうち11例にアルコール多飲歴を認めた。HBs抗原陽性かつHCV抗体陽性例は2例のみであった。アルコール性は67例（20.2％）でそのうち男性が56例を占めた。自己免疫性肝炎（AIH）と原発性胆汁性胆管炎（PBC）はそれぞれ12例（3.6％），5例（1.5％）であった。AIHに2例，PBCに1例男性症例を認めたがそれ以外は女性であった。ヘモクロマトーシスは1例，Wilson病は1例であった。その他の成因は44例（13.3％）であった。44例中糖尿病や脂肪肝，肥満などを認め非アルコール性脂肪肝炎（NASH）の可能性がある症例（NASH疑い）は17例（男性8例・女性9例）であったが，そのうち肝生検を施行されNASHと診断されたのは7例（男性3例・女性4例）のみであった。各成因別の平均年齢を検討したところ，HBs抗原陽性65.6歳/HCV抗体陽性71.7歳/HCV抗体陽性かつアルコール多飲62.4歳/アルコール多飲65.8歳/AIH 72.4歳/PBC 70.5歳/NASH疑い67.8歳であり，アルコール多飲歴のあるHCV抗体陽性例が他の成因と比較して若い傾向であった。

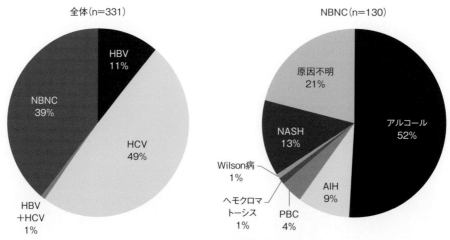

図1　当院における肝硬変の成因別内訳

HBs 抗原単独陽性例（n＝37，男性 18 例・女性 19 例）の特徴について検討を行った。26 例（70.3％）は核酸アナログを投与されており，その内訳は ETV 19 例，ETV/TDF 1 例，LAM/ADV 3 例，LAM/TDF 1 例，TDF 2 例であった。37 例中 19 例に肝発癌歴を認めた。HCV 抗体単独陽性例（n＝162，男性 86 例・女性 76 例）について検討を行うと，内 52 例（32％）は HCV 排除後であった。そのうち，27 例が IFN，25 例が DAA により治療されていた。DAA 治療の内訳は LDF/SOF 20 例，DCV/ASV 2 例，SOF/RBV 3 例であった。

続いて，2013 年集計時との比較検討を行った。2013 年時と比較して今回 HCV 抗体陽性例の割合が有意に減少していた（170/297 vs. 162/331 $p<0.05$）のにもかかわらず，HCV 排除後症例は著明に増加していた（4/297 vs. 52/331 $p<0.01$）。アルコール性は 2013 年集計時と比較して有意に増加していた（38/297 vs. 67/331 $p<0.05$）。

◼ 結 論

当院における肝硬変患者の実態について成因別に検討した。HCV 抗体陽性かつアルコール多飲がある症例では比較的若年で肝硬変となっており，肝硬変に至る前から禁酒の徹底が必要と考えられた。また 2013 年集計時と比較して HCV 排除後の肝硬変症例が増加しており，DAA 製剤を用いた IFN フリー治療の普及によるものと考えられた。

42 当院における肝硬変症例の成因別実態

市立池田病院消化器内科
大工 和馬　福田 和人　井倉 技　澤井 良之
小来田 幸世　中原 征則　松本 康史　山口 典高
増田 与也　酒井 優希　篠村 恭久　今井 康陽

■ 目 的

1. 当院における肝硬変患者の成因別実態と臨床像を明らかにし，前回（2014年肝臓学会総会）報告時症例と比較検討を行う。

2. 前回報告症例の追跡調査を行い，成因別の発癌率・生存率について検討する。

■ 対 象

1. 2016年1月より2017年9月の間に当院通院歴のある肝硬変症例474例（男性253例，女性221例）を，2011年1月より2013年9月の間に通院歴のある573例（男性318例，女性255例）と比較検討した。

2. 2014年報告時の肝硬変症例のうち，2013年9月時点で肝細胞癌合併のなかった236例（男性112例，女性124例）について追跡調査を行い，成因別に発癌率・生存率を検討した。

■ 結 果

1. 成因別の内訳は「慢性肝炎・肝硬変の診療ガイド2016」に基づいて分類した。C型234例，アルコール96例，B型53例，NASH 46例，自己免疫性14例，胆汁うっ滞型10例（すべてPBC），B型＋C型1例，その他20例であった。前回調査時と比較するとC型の減少とNASHの増加傾向が明らかであった（図1）。

男性比率はB型・アルコールで高く，その他は女性優位で特に自己免疫性・PBCで女性比率が高かった。平均年齢はB型・アルコールで60歳代，その他はいずれも70歳代であった。肝細胞癌合併率はB型・C型で54.7％と高く，NBNCではNASHが39.1％と最高であった。静脈瘤治療歴はPBC 70.7％と高く，原因不明・アルコール・NASHと続き，B型（18.9％）とC型（23.5％）は比較的少なかった。またNASHは肥満が多く，糖尿病と高血圧の合併率も他と比較して一番高かった。Child-Pugh分類では肝予備能良好群（A）はB型・C型・NASH・原因不明で多く，肝予備能不良群（C）はB型・アルコール・PBC・原因不明で多かった（表1）。

2. 全体の4年発癌率は14％であった。成因別ではB型・C型・NASHは全体の発癌率よりも高かったが，AIH/PBCでは発癌例を認めず，アルコール性の発癌率は低かった。発癌に関与する因子について多変量解析を行うと75歳以上，AFP 5ng/mL以上が抽出された。

全体の4年生存率は87.3％であった。成因別ではB型では死亡例を認めず，次にNASH，C型，アルコール，原因不明と続いた。

■ 考 案

当院症例の検討では前回調査時と比し高齢化が進み，C型肝炎の減少とNASHの増加傾向がみられた。

B型・C型肝硬変の多くは抗ウイルス治療がなされているが依然発癌率が高く適切な画像検索が肝要である。

NASHはNBNCの中では比較的発癌率が高く，静脈治療歴を有するものも多いが，予後は比較的良好であった。肝予備能良好な患者の割合が多かったことが関与しているものと思われる。

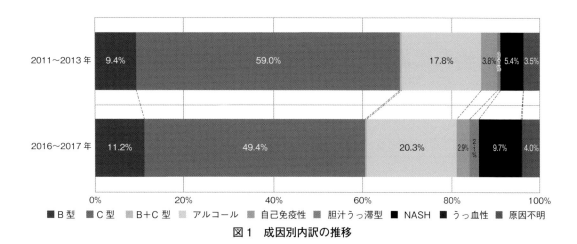

図1 成因別内訳の推移

表1 成因別特徴

	平均年齢	男性比率	HCC合併率	静脈瘤治療歴	Child-Pugh A	Child-Pugh C	BMI	DM合併率	高血圧合併率	4年発癌率	4年生存率
B	66.8	60.4%	54.7%	18.9%	75.9%	11.1%	24.1	17.0%	22.6%	15.0%	100.0%
C	76.3	45.3%	54.7%	23.5%	73.1%	6.8%	22.6	24.4%	40.2%	19.7%	86.5%
Alc	66.2	88.5%	29.2%	39.6%	65.6%	16.7%	22.8	26.0%	24.0%	5.5%	82.3%
自己免疫性	78.8	7.7%	7.1%	14.3%	57.1%	0.0%	22.8	21.4%	21.4%	0.0%	90.9%
PBC	79.0	20.0%	30.0%	70.7%	50.0%	10.0%	20.5	30.0%	30.0%		
NASH	71.7	39.1%	39.1%	32.6%	76.1%	4.3%	26.8	65.2%	50.0%	14.3%	94.7%
原因不明	78.4	40.0%	36.8%	42.1%	73.7%	10.5%	22.4	21.1%	47.4%	0.0%	71.4%

アルコール性肝硬変は発癌率が低いが予後は不良であった。肝予備能が悪い患者が多いことが関与している可能性がある。

◼ 結　論

当院における肝硬変の成因別実態について検討した。ウイルス性肝疾患は減っているが肝細胞癌の合併率が高く，依然画像検索による早期発見がポイントとなる。またNASH肝硬変が増加傾向にあり，癌発生率も高く看過できない。拾い上げシステムの構築が今後の課題である。

43 当科における肝硬変の成因別実態

兵庫医科大学内科学肝胆膵科
高嶋　智之　榎本　平之　西口　修平

■ 目　的

これまで肝硬変の成因はB型やC型などウイルス性肝炎が多かったが，近年の抗ウイルス薬の進歩に伴って肝炎の進行が改善されている。一方，生活習慣の変化によりアルコールやNASHが増加傾向にある。

今回，当科における入院患者の肝硬変の成因別実態，経時的変化につき検討した。

■ 方　法

2005～2017年までの当科初回入院患者のうち，肝硬変の診断を有する1,152例を対象とした。

今学会（第54回日本肝臓学会総会ポスターシンポジウム【肝硬変の成因別実態】）の診断基準に基づく成因分類とその頻度を算出し，2005～2010年までをA群（589例，男性368例，女性221例，平均年齢66.9歳），2011～2017年をB群（563例，男性340例，女性223例，平均年齢68.1歳）（表1）とし，経時変化，肝癌合併率についても検討した。

■ 成　績

全期間での症例は男性708例，女性444例，平均年齢67.5歳であった。

成因別頻度はB型134例（11.6％），C型690例（59.8％），B＋C型4例（0.1％），アルコール性114例（9.8％），自己免疫性63例（5.4％），胆汁うっ滞型14例（1.2％），代謝性1例（0.008％），うっ血性13例（1.1％），NASH28例（2.4％），原因不明91例（7.8％）であった。なおNASH由来の肝硬変については，28例中の14例（50％）が肝生検で組織診断されていた。

成因別頻度の経時的変化は，A群（2005～2010年）：B型63例（10.6％），C型390例（66.2％），B＋C型3例（0.5％），アルコール性60例（10.1％），自己免疫性24例（4.0％），胆汁うっ滞型6例（1.0％），うっ血性9例（1.5％），NASH 6例（1.0％），原因不明28例（4.7％），B群（2011～2017年）：B型71例（12.6％），C型300例（53.2％），B＋C

表1　対象症例の内訳

	A群　589例 2005～2010年	B群　563例 2011～2017年
性別（男／女）	368/221（男62.4％）	340/223（男60.3％）
平均年齢（歳）	66.9	68.1
Child-Pugh分類（A/B/C）	381/178/30	395/128/40
肝癌症例（合併率）	391（66.3％）	342（60.7％）
肝生検あり	79（13.4％）	196（34.8％）

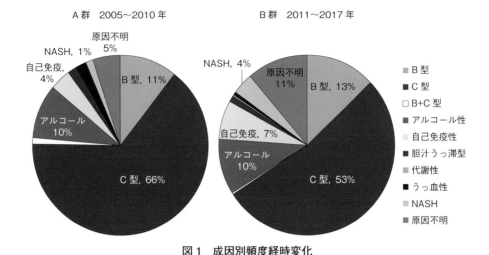

図1 成因別頻度経時変化

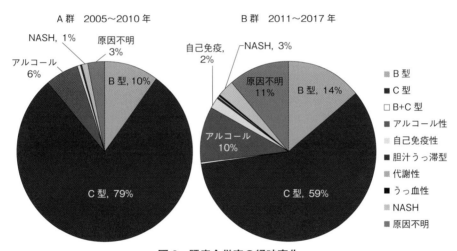

図2 肝癌合併率の経時変化

型1例（0.1%），アルコール性54例（9.5%），自己免疫性39例（6.9%），胆汁うっ滞型8例（1.4%），代謝性1例（0.1%），うっ血性4例（0.7%），NASH 22例（3.9%），原因不明63例（11.9%）であり，C型の頻度が減少し，NASH，原因不明が増加にあった（図1）。

肝癌合併例は733例（63.3%）であり，その内訳はB型88例（12.0%），C型510例（69.5%），B＋C型1例（0.1%），アルコール性58例（7.9%），自己免疫性8例（1.0%），胆汁うっ滞型3例（0.4%），代謝性1例（0.1%），うっ血性1例（0.1%），NASH 13例（1.7%），原因不明50例（6.8%）であった。

経時変化では，A群（2005〜2010年）：B型39例（9.9%），C型308例（78.7%），B＋C型0例（0%），アルコール性25例（6.3%），自己免疫性3例（0.7%），胆汁うっ滞型1例（0.2%），うっ血性0例（0%），NASH4例（1.0%），原因不明11例（2.8%），B群（2011〜2017年）：B型49例（14.3%），C型202例（59.0%），B＋C型1例（0.2%），アルコール性33例（9.6%），自己免疫性5例（1.5%），胆汁うっ滞型2例（0.5%），代謝性1例（0.2%），うっ血性1例（0.2%），NASH 9例（2.6%），原因不明39例（11.4%）であり，C型の肝癌合併率は低下にあり，アルコール，NASH，原因不明が増加していた（図2）。

表 2　原因不明症例の内訳

	A 群　28 例 2005 〜 2010 年	B 群　63 例 2011 〜 2017 年
性別（男／女）	17/11 （男 60.7％）	40/23 （男 63.4％）
平均年齢	70.3	69.1
Child-Pugh 分類 （A/B/C）	25/3/0	40/18/5
肝癌症例（合併率）	11（39.2％）	39（61.9％）
静脈瘤治療	14（50％）	22（34.9％）
腹水コントロール	1	3
肝生検あり	2（7.1％）	8（12.6％）

考　察

　成因別頻度の経時的変化をみると，C 型の頻度が減少し，NASH，原因不明が増加にある。

　肝癌合併率をみると，C 型の肝癌合併率は低下にあり，アルコール，NASH，原因不明が増加にある。

　これは，近年の抗ウイルス治療の進歩，特に C 型肝炎に対する DAA の開発により，高齢者であっても HCV が簡単に消失することが要因である。

　一方で，NASH を主体とする非 B 非 C 肝硬変は増加しているが，NASH では加齢による発癌リスクが高まるとすれば，今後肝硬変患者の高齢化によりさらにこの傾向が顕著となる可能性が高い。

　原因不明症例の検討をしてみると，初回入院は Child-Pugh A，B の症例が多く，近年は肝癌での入院割合が増加している。また，原因不明症例で肝生検を施行している割合が増えているにもかかわらず原因が特定できないのは今後の課題である（表 2）。

結　論

　近年肝硬変症例の成因では，C 型の減少が目立つ一方で，NASH やアルコールといった非ウイルス性疾患が増加していた。また肝癌合併に関しても同様の傾向が認められた。

44 C型肝硬変SVR後生命予後の実態

独立行政法人国立病院機構京都医療センター消化器内科
中野　重治　勝島　慎二　米田　俊貴
滝本　見吾　小畑　達郎

■ はじめに

2008年1月より2018年6月までに当科において組織学的あるいは臨床的に肝硬変症と診断した症例は544例である。成因別頻度はB型が4%，C型が64%，B＋C型が0.4%，アルコール性が21%，自己免疫性が2%，胆汁うっ滞型が1%，成因不明が3%であり，C型肝硬変が多くを占める。このC型肝硬変において，抗ウイルス療法でのSVRが与える予後の影響に焦点を当て，第54回日本肝臓学会総会(2018年6月)において「肝硬変成因別実態」のセッションで発表した，C型肝硬変SVR後生命予後の実態について本稿にて報告する。

■ 目　的

Direct-acting antiviral (DAA) によりC型代償性肝硬変例のほとんどでSVRが得られるようになった。肝硬変例でもIFN治療SVR後の肝発癌抑制や予後改善が報告されているが[1,2]，DAA治療例も含めた集団における予後の実態と生命予後に寄与する因子は明らかでないことから後向きに検討した。

■ 方　法

対象は1992年12月から2017年8月までに当院で抗ウイルス療法を開始してSVRを達成したC型代償性肝硬変335例。診療録から背景因子，癌罹患，生命予後，死因を検討した。肝硬変症はFIB-4 index＞3.25と定義した。累積生存率をカプランマイヤー法で，生存に寄与する因子をCox比例ハザードモデルで解析した。

■ 成　績

年齢は中央値68歳，男女比は163：172であった。IFN-base治療149例，INF-free DAA治療186例，肝癌既往例は81例，Child-Pugh score＞5は90例，習慣飲酒（20g/day以上）は75例，糖尿病合併は72例であった。観察期間中央値は3.1年。肝癌既往のない例から肝癌罹患が47例，既往例から同じく27例（局所再発除く），他臓器癌罹患が29例にみられた。死亡例は34例で，死因は肝癌16例，他臓器癌5例（胆嚢，膵，悪性リンパ腫，皮膚，膀胱各1例），肝不全4例，不明3例，急性胆嚢炎，肺炎，心タンポナーデ，脳出血，肝癌術死（敗血症）がそれぞれ1例であった（図1）。全症例の5年および10年累積生存率は91.9%と66.7%であった。年齢・性別で補正するとChild-Pugh scoreと肝癌既往が独立した有

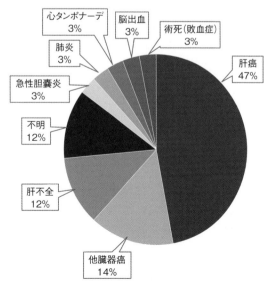

図1　死亡34例の死因の内訳

表1 Cox比例ハザードモデルを用いた予後因子解析

	HR	95%CI	p
年齢≧65歳	3.507	(1.45～8.48)	0.005
男性	2.014	(0.97～4.19)	0.062
Child-Pugh score ≧ 6	4.969	(2.41～10.2)	<0.001
肝癌既往あり	2.595	(1.28～5.26)	0.008

意な生命予後に寄与する因子であった（**表1**）。基準人口の死亡率[3]をもとに年齢，性別をマッチさせて計算した本コホートの標準化死亡比は1.37（95％信頼区間0.91～1.83）であった。

◼ 考　案

C型肝硬変SVR後の予後は基準人口とおおむね差がないと推計できる。SVR後には肝疾患関連死の抑制が期待されるが，死因の多くを占める肝癌，他臓器癌，肝不全に留意した診療が必要である。

◼ 結　語

DAA治療例を含めたC型肝硬変SVR後生命予後の実態と診療上の留意点を報告した。

参考文献

1) Singal AK, Singh A, Jaganmohan S, et al: Antiviral therapy reduces risk of hepatocellular carcinoma in patients with hepatitis C virus-related cirrhosis. Clin Gastroenterol Hepatol 8 (2): 192-199, 2010
2) Shiratori Y, Ito Y, Yokosuka O, et al: Antiviral therapy for cirrhotic hepatitis C: association with reduced hepatocellular carcinoma development and improved survival. Ann Intern Med 142 (2): 105-114, 2005
3) 厚生労働省大臣官房統計情報部人口動態・保健社会統計課「人口動態統計」より改変

45 肝硬変の成因別実態

京都府立医科大学消化器内科
原　祐　森口　理久　伊藤　義人

■ はじめに

非アルコール性脂肪性肝疾患（NAFLD）の増加に伴って当院肝臓外来受診中の肝疾患患者の成因構成が変化した。現在の肝硬変の成因別実態を過去の結果と比較した。

■ 対象と方法

2014年1月～2017年5月までの間に当科で臨床的に肝硬変と診断した538例（男324例，女214例，平均年齢69.1歳）を，募集要項に定められた診断基準によりそれぞれ分類し臨床的特徴を検討した。また，2008年第44回日本肝臓学会総会において発表した当院の肝硬変の成因・臨床像との比較検討を行った。

■ 成　績

肝硬変の成因は1）ウイルス性肝炎，B型10.0％，C型58.9％，B＋C型0.6％，2）アルコール性（AL）13.0％，3）自己免疫性1.1％，4）胆汁うっ滞型2.6％，5）代謝性0.4％，6）うっ血性0.9％，7）薬物性，8）特殊な感染症はともに該当なし，9）非アルコール性脂肪肝炎（NASH）8.0％，10）原因不明4.5％であった（図1）。主な成因の平均年齢はB型/C型/AL/NASH：63.3/71.2/69.9/66.7歳，性別（男性比）はB型/C型/AL/NASH：74.1/51.1/92.9/58.1％，Child pugh Aの頻度はB型/C型/AL/NASH：80.4/79.6/61.4/93.0％，肝癌合併率はB型/C型/AL/NASH：57.4/55.5/57.1/16.3％，糖尿病（DM）合併率はB型/C型/AL/NASH：15.4/24.0/40.6/81.4％であった（表1）。NASHに

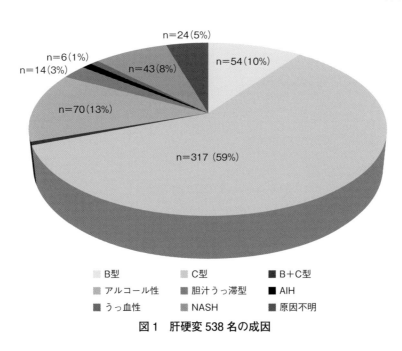

図1　肝硬変538名の成因

表1　肝硬変の成因別の臨床像

	HBV (n=54)	HCV (n=317)	アルコール (n=70)	NASH (n=43)
Age（year）*	64（33〜95）	72（40〜89）	69（39〜89）	66（36〜81）
Sex（M）	40（74.1%）	162（51.1%）	65（92.9%）	25（58.1%）
Child-Pugh Score（A/B, C）	40/14	252/65	43/27	40/3
HCC（yes）	31（57.4%）	176（55.5%）	40（57.1%）	7（16.3%）
DM（yes）	83（15.4%）	76（24.0%）	28（40.0%）	35（81.4%）

＊median（range）

おいて組織診断例は72.1%であり，NAFLDとして経過観察中に線維化進行した肝硬変を臨床的疑診例としている．DM合併率は生検/疑診：80.6/83.3%でともに高率であった．

◼ 考　察

2008年の報告と比較しB型/C型：1.8/13.4%の減少，AL/NASH：9.5/2.7%の増加を認めた．肝癌合併率はB型/C型/AL：37.5→57.4%/42.0→55.5%/35.0→57.1%と増加していたのに対しNASHは50.0→16.3%と低下していた．NASH外来の設置に伴い非発癌のNASH肝硬変の紹介例が増加したことが主な要因と考えられた．B型の87.0%は核酸アナログを投与されていた．C型の55.8%はSVRを達成しており，治療の内訳はインターフェロン（ifn）治療/ifn free治療：18.1/81.9%であった．ALは肝機能低下例，肝癌合併例が多く予後不良であった．原因不明例のDM合併率は41.7%と比較的高率であり，NAFLD/NASHとの関連が疑われた．

◼ 結　語

ウイルス性肝硬変は抗ウイルス療法の進歩により今後さらに減少していき，肝硬変の成因としてNAFLD/NASHがさらに増加することが予想される．

46 Transient elastography による肝硬変診断と成因別実態

*1 大阪市立大学大学院医学研究科肝胆膵病態内科学
*2 同肝硬変治療学寄附講座　*3 同先端医療予防学
藤井　英樹[*1,2]　森川　浩安[*3]　河田　則文[*1]

■ はじめに

当科は過去4回にわたり，「肝硬変の成因別実態」に関して腹腔鏡で診断した肝硬変症例を報告してきた。一方当科では，2006年より延べ5,000件を超える Transient elastography による肝弾性度（Liver stiffness：LS）測定を施行した。今回われわれは，LSで診断した肝硬変症例の臨床像を検討した。

■ 対象・方法

2013年11月から2017年11月に当科でLS測定を施行された延べ1,827例中，(1) 成功率60%以上，(2) 四分位範囲/測定中央値0.3以下を満たし，かつLS値14.6kPa以上の患者を肝硬変と定義した。臨床的に肝硬変が否定できる症例は除外した。肝硬変の成因の診断基準は，「慢性肝炎・肝硬変の診療ガイド2016」で提唱された基準を用いた。

■ 成　績

1. 肝硬変の成因別頻度（表1）

全207例中，男性105例（50.7%），女性102例（49.3%）で年齢の平均値（標準偏差）は65.7（12.3）歳だった。成因別症例数，割合は表1に示すようにC型が70%と最多で，NASHが10%で2番目に多かった。今回の検討における肝硬変の成因の詳細を記載する。「自己免疫性」は9例全例が自己免疫性肝炎，「胆汁うっ滞性」は5例全例が原発性胆汁性胆管炎，「代謝性」1例はウィルソン病，「うっ血性」はバッド・キアリ症候群2例，Fontan術後1例。

表1　当科における肝硬変の成因

成因	症例数（%）	女性（%）	年齢（歳）	BMI（kg/m^2）
B型	8（4%）	3（38%）	48.6（18.2）	23.8（5.2）
C型	144（70%）	70（49%）	68.4（9.9）	23.0（3.4）
アルコール性	10（5%）	2（20%）	59.9（12.1）	21.4（3.2）
自己免疫性	9（4%）	7（78%）	58.8（12.5）	21.6（4.1）
胆汁うっ滞型	5（2%）	4（80%）	56.4（16.9）	24.4（5.0）
代謝性	1（0.5%）	1（100%）	23.0	22.8
うっ血性	3（1.5%）	1（33%）	35.3（15.5）	21.2（1.5）
薬物性	0（0%）	0（0%）	−	−
NASH	21（10%）	11（52%）	67.3（8.6）	26.3（3.3）
原因不明	6（3%）	3（50%）	69.5（3.7）	21.7（2.1）
総数	207	102（49.3）	65.7（12.3）	23.2（3.6）

年齢およびBMI：平均値（標準偏差）

表2 肝硬変症例における肝硬度，CAP値，血小板数およびAlb値

成因	LS値（kPa）	CAP（dB/m）	血小板数（×10^4/mL）	Alb（g/dL）
B型	18.0（2.9）	182（59）	14.9（6.5）	3.9（0.7）
C型	25.2（11.3）	210（38）	11.9（5.1）	3.7（0.5）
アルコール性	32.6（16.7）	214（41）	12.6（5.2）	3.6（0.5）
自己免疫性	23.0（8.7）	188（49）	14.0（7.6）	3.4（0.7）
胆汁うっ滞型	39.9（24.2）	223（72）	17.1（10）	3.2（1.0）
代謝性	21.5	231	10.3	2.0
うっ血性	50.2（27.5）	180（16）	14.3（0.9）	4.2（0.8）
薬物性	−	−	−	−
NASH	20.3（5.2）	252（60）	16.0（7.6）	4.1（0.6）
原因不明	19.8（5.9）	178（43）	23.4（21.3）	3.8（0.4）
	19.8（5.9）	212（46）	13.1（6.9）	3.7（0.6）

LS：Liver stiffness，CAP：Controlled attenuation parameter，平均値（標準偏差）

2. 成因別背景因子の比較（表1）

年齢はB型が平均48.6歳と最も若かった（代謝性は1例のため除外）。BMIの平均はNASHが26.3kg/m^{2}と高値で，アルコール性は21.4kg/m^{2}と低値だった。男女の比較ではアルコール性が男性比率80％と男性優位で，自己免疫性と胆汁うっ滞性が女性比率78％，80％と女性優位だった。

3. 成因別LS値およびControlled attenuation parameter（CAP）値の比較（表2）

LS値（kPa）の平均はうっ血性が50.2と最も高く，胆汁うっ滞性39.9，アルコール性32.6と続いた。またCAP値（dB/m）の平均はNASHが252と最も高かった。

4. 成因別血小板数およびAlb値の比較（表2）

血小板数（×10^4/μL）の平均はC型が11.9と低値だった。またAlb値（g/dL）の平均は胆汁うっ滞型で3.2と低値であり，逆にNASHでは4.1と高値だった。

5. NASH肝硬変における肝生検の有無と肝線維化Stage

NASH患者21例中13例が肝生検を施行されており，肝線維化Stageは4/3/2が4/7/2例だった。

6. 診断時肝癌の有無

LS測定時の肝細胞癌合併は全体の20％（41例）に認め，成因別ではB型1例（13％），C型34例（24％），アルコール性3例（30％），NASH 3例（14％）だった。

■ 考 察

当院は大阪市内に位置する肝疾患診療連携拠点病院である。過去の検討では，1）肝硬変の成因はC型が半数を占め，2）非B非Cではアルコール性が減少し，3）NASHが増加傾向にあった。非侵襲的診断法の発展は目覚しく，今回LSによる肝硬変診断を行ったが，1）C型が7割を占め，2）アルコール性は今回も減少傾向，3）NASHは増加傾向で，従来の傾向を踏襲する結果であった。また，NASH診断におけるLS値と生検例の線維化Stageの乖離については，LS値が糖尿病や肥満症例において過大評価される傾向に起因すると考えられた[1]。

■ 結　語

　肝硬変の成因としてはC型が70％と最多で，NASHを全体の10％に認めた。肝細胞癌合併を全体の20％に認めた。

参考文献

1) Koehler EM, Plompen EP, Schouten JN, et al. Presence of diabetes mellitus and steatosis is associated with liver stiffness in a general population: The Rotterdam study. Hepatology 63: 138-147, 2016

47 当科における肝硬変の成因別実態

奈良県立医科大学第3内科
藤本　正男　吉治　仁志　美登路　昭　浪崎　正　守屋　圭
北出　光輝　赤羽たけみ　瓦谷　英人　鍛治　孝裕

■ はじめに

肝硬変は慢性肝疾患の終末像であり，完治困難な肝細胞癌発生の母体ともなる．その成因・予後は診断および治療水準や社会・生活環境などに影響され，経年的に変化していると考えられる．今回，当科での肝硬変の成因別実態を1991年，1998年，2008年，2014年の調査に引き続き検討した．

■ 対象と方法

肝硬変と慢性肝炎の境界病変や受診期間が短く病態把握が困難な症例を除外するため，入院歴のない外来診療症例を対象外とし，当科に肝硬変での入院歴があり1998年1月から2017年12月の間に診療した2,272例を解析した．なお，実臨床での実態をより正確に反映させることを目的に，肝硬変診断が当院入院時以前に遡って確定可能である症例については，その肝硬変診断確定日を肝硬変診断日として集計した．

■ 結　果

1. 肝硬変患者年齢構成比の年次別推移

5歳間隔で層別化し集計すると70歳以上のすべての階層で顕著な増加がみられた．一方70歳未満のすべての階層では減少傾向が持続し，特に50〜69歳の間の階層で減少が顕著であった（図1a）．

この変化を反映して，平均年齢は1998年60.5±9.7歳から2017年69.3±10.6歳に至るまで0.43歳/年の割合で直線的な上昇を示した（r＝0.99）．

2. 成因別頻度，男女比および診断時年齢

2,272例の成因の内訳はB型13.4％，C型52.8％，非B非C 32.7％で，非B非CではアルコAL）性19.3％，自己免疫性2.6％，胆汁うっ滞性2.5％，成因不明3.8％であった（表1）。

肝硬変全体での男性比率は69％と高率であり，成因別ではAL性で顕著に高く，B型，C型においても高率であった．他方，自己免疫性，胆汁うっ滞性では低率であった．

肝硬変診断時の年齢は成因不明が最も高齢であり，以下自己免疫性，胆汁うっ滞性，NASH，C型で高かった．一方Budd-Chiari症候群，各種代謝性疾患，B型，AL性（特に女性で顕著）では若年であった．

3. 成因比率の年次別推移

成因構成比率は，B＋C型，その他は不変，B型，C型で減少（特にC型で顕著），それ以外の成因では増加（特にAL性，NASHで明瞭）がみられた（図1b）．

4. 肝硬変の死因

死亡例は1,289例あり，肝癌死が53.1％と最も多く，次いで肝不全27.0％，他病死14.5％，食道・胃静脈瘤破裂3.3％，消化管出血2.1％の順であった．他病死188例のなかでは肝癌を除く悪性新生物が79例，42.0％を占めた．

5. 肝癌合併率

肝癌合併は1,418例，62.4％にみられ，成因別ではC型が63.2％と極めて多数を占め，以下B型15.7％，AL性12.3％，成因不明2.6％，NASH 2.0％，自己免疫性1.6％，胆汁うっ滞性1.0％，B＋C型1.0％，代謝性0.3％，うっ血性0.3％，薬剤

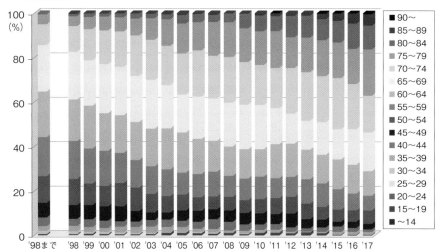

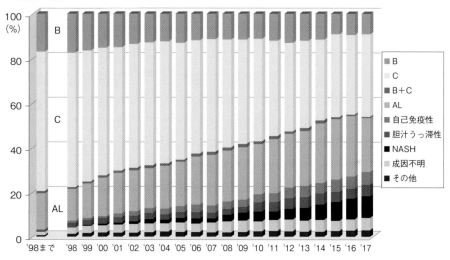

図 1　年次構成比の推移

性 0.1％，その他 0.1％の順であった．一方，成因別の肝癌合併率は B 型 74.7％，C 型 72.8％であり，非 B 非 C 疾患 35.6％に比較して顕著に高率であった．なお NASH では 42.0％であった．

6. 肝癌の診断時期

肝癌と診断された時期は，肝硬変診断以前が 6.4％，同時期が 38.8％，肝硬変診断後が 54.8％であった．

7. 胃・食道静脈瘤への対応

内視鏡による検索は 92.9％の症例で行われ，全体の 23.8％には病変を認めず，46.3％は内視鏡的治療，22.8％は経過観察となっていた．これらの割合には著しい成因別の差異はみられなかった．

8. 肝硬変診断時からの累積生存率

全症例の累積生存率は 1 年 91.3％，3 年 78.7％，5 年 67.8％，10 年 41.1％，20 年 17.3％で，成因別では B 型，C 型で低率であった．

肝癌合併の有無別にみると，それぞれ 1 年 94.8 vs. 85.2％，3 年 86.3 vs. 75.6％，5 年 78.5 vs. 62.2％，10 年 58.1 vs. 33.2％，20 年 33.3 vs. 11.1％であり，肝癌合併例の生命予後は著しく悪

表1 肝硬変 2,272 例の成因別頻度，男女比および診断時年齢

成因	%	症例数	男/女	男性比	診断時年齢 男性+女性	男性	女性
計	100	2,272	1,560/712	69%	60.1±11.7	59.3±11.8	62.1±11.1
B型	13.4	305 (71)	232 (69)/73 (2)		54.6±11.3	54.8±11.1	57.1±11.3
C型	52.8	1,199 (299)	800 (277)/399 (22)		62.3±10.1	61.6±10.4	63.7±9.3
B+C型	1.1	24 (4)	17 (4)/7		59.2±13.2	57.4±14.0	63.4±9.8
NBNC	32.7	744 (452)	512 (400)/232 (52)		59.0±13.1	58.3±13.0	60.6±13.4
アルコール性	19.3	439	389/50	89%	56.4±12.0	57.4±11.6	48.8±12.1
自己免疫性	2.6	60 (5)	13 (5)/47 (2)	22%	63.5±10.9	61.1±12.1	64.2±10.4
AIH	2.2	49 (5)	11 (5)/38 (2)		64.1±10.5	60.8±13.1	65.9±9.2
AIH+PBC	0.5	11	2/9		61.0±12.2	60, 65	60.7±13.5
胆汁うっ滞性	2.5	57 (3)	13 (3)/44	23%	61.0±14.3	68.0±11.9	58.9±14.2
PBC	2.1	47 (2)	9 (2)/38		68.9±10.6	69.6±12.5	61.9±10.9
PSC	0.2	5 (1)	2 (1)/3		56.6±15.1	52, 74	52.3±15.9
アラジール症候群	0.04	1	0/1		24	—	24
その他の胆汁うっ滞性	0.2	4	2/2		47.3±20.0	58, 74	23, 24
代謝性	0.4	9 (2)	8 (2)/1		48.2±20.9	47.8±22.1	52
ヘモクロマトーシス	0.3	6 (2)	5 (2)/1	83%	60.0±13.6	61.6±14.3	52
ウイルソン病	0.1	2	2/0		11, 27	11, 27	—
シトルリン血症	0.04	1	1/0		51	51	—
うっ血性	0.6	14 (1)	12 (1)/2		39.2±17.4	37.3±17.1	36, 65
Budd-Chiari症候群	0.4	9 (1)	7 (1)/2		35.6±15.8	31.3±13.4	36, 65
その他うっ血性	0.2	5	5/0		45.8±18.1	45.8±18.1	—
薬剤性	0.1	3	2/1		69.0±4.3	63, 73	71
NASH	3.0	69	29/40	42%	64.6±10.6	63.2±11.4	65.6±9.9
その他	0.3	7	2/5		59.3±13.7	70, 76	53.8±12.4
門脈閉塞症	0.2	4	1/3		55.8±11.6	70	51.0±9.4
サルコイドーシス	0.1	2	0/2		43, 73	—	43, 73
トロトラスト肝	0.04	1	1/0		76	76	—
成因不明	3.8	86	44/42		67.0±11.1	65.2±13.0	68.8±8.7

( )：うち飲酒歴のあるもの

かった（log-rank test, $p<10^{-8}$）。

さらに肝癌合併の有無別に成因別生存率をみると，合併例では成因不明とC型の間に$p<0.020$，NASHとB型の間に$p<0.024$の，非合併例ではNASHとC型の間に$p<0.035$，NASHと成因不明の間に$p<0.048$の有意差がみられたが，いずれも有意水準は低かった。この肝癌合併の有無別の成因別生存率の検討については，今後特に非B非C諸疾患の集積が必要と思われる。

9. 高血圧，糖尿病，脂質異常症合併率

全症例の高血圧，糖尿病，脂質異常症の合併率はそれぞれ32.7%，35.4%，6.8%であった。高血圧はNASHで54.5%，糖尿病はNASHで52.1%，その他で50.7%，脂質異常症はNASHで28.2%，胆汁うっ滞性で26.3%，成因不明で17.8%であり，他の成因に比して有意に高率であった。

10. HBc抗体陽性率

全症例のHBc抗体陽性率は35.3%（180/510）で，成因別ではC型36.4%（82/225），AL性33.2%（92/277），自己免疫性40.0%（12/30），胆汁うっ滞性27.3%（6/22），NASH 40.0%（12/30），成因不明38.6%（17/44）であった。

■ 結　語

年齢構成では70歳以上の増加と70歳未満の減少が持続し，患者平均年齢には直線的な上昇がみられた。成因ではC型の著減と非B非Cの増加がみられた。肝癌合併率はB型C型で74%前後であり非B非Cに比して明らかに高率であった。死因では消化管出血や静脈瘤破裂の頻度は低率で，他病死の割合が多かった。これには疾患管理の改善や高齢化等が関与していると思われる。今回の1991年以降の経年的な検討によって，肝硬変の臨床像に継続的な変化が確認され，今後とも追跡する意義があると考える。

48 当院における肝硬変の成因別実態

大阪警察病院内科
堀江　真以　宮崎　昌典　山本　修平　岡田　祐樹
松前　高幸　嶋吉　章紀　甲斐　優吾　岩橋　潔
村田真衣子　柄川　悟志　尾下　正秀

■ はじめに

われわれは，これまで 1998 年・2008 年・2012 年の肝硬変の成因を報告した[1〜3]。今回，改めて当院の肝硬変の成因別実態に関し検討した。

■ 対象と方法

2016 年に当院で加療した肝硬変 546 名（男/女＝313/233，22〜95 歳）の成因を調べ，1998 年・2008 年・2012 年の肝硬変の成因・臨床像と比較検討した。

■ 成　績

1．肝硬変の成因（図 1）

ウイルス性は HBV（HBsAg 陽性/HCVAb 陰性）55 名（10％，男/女＝41/14，68±10 歳，肝癌合併 30 名），HCV（HBsAg 陰性/HCVAb 陽性）227 名（42％，男/女＝107/120，75±9 歳，肝癌合併 105 名），HBV・HCV 重感染 2 名（肝癌合併 2 名），HCV・AIH 合併 2 名（肝癌合併 1 名）。

非ウイルス性 260 名（48％，男/女＝162/98）では，アルコール性 137 名（25％，男/女＝113/24，65±13 歳，肝癌合併 26 名），自己免疫性は AIH 13 名（2.4％，男/女＝5/8，71±8 歳，肝癌合併 3 名），AIH・PBC の overlap 3 名（肝癌合併 1 名），胆汁うっ滞性は PBC 29 名（5.3％，男/女＝9/20，72±9 歳，肝癌合併 3 名），PSC 1 名，代謝性 3 名（ウイルソン病 2 名，ヘモクロマトーシス 1 名），うっ血性 3 名，薬物性 3 名，特発性門脈圧亢進症 4 名，脂肪性肝疾患以外の成因例 3 名。上記以外の肝硬変は 61 名で，画像診断で確認した脂肪性肝疾患による肝硬変 25 名（4.6％，

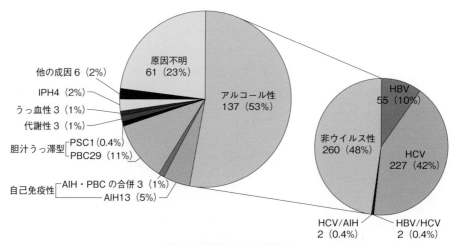

図 1　肝硬変 546 名の成因
「原因不明」は NASH 関連 25 名，成因不明 36 名を含む
「他の成因」は薬物性 3 名，術後変化 3 名を含む

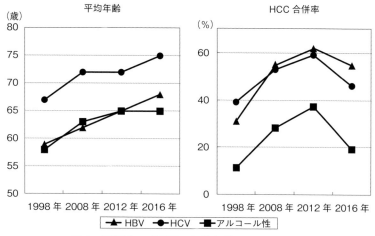

図2 肝硬変の成因別の平均年齢，HCC合併率

男/女＝11/14，72±10歳，肝癌合併8名，組織診断によるNASH確診例5名），脂肪肝を確認できない成因不明肝硬変36名（6.6％，男/女＝13/23，73±10歳，肝癌合併9名）。

2．成因の年次推移

1998年・2008年・2012年と今回の肝硬変の成因別推移は，HBVは13→12→8→10％と変化なく，HCVは62→63→53→42％と低下し，非ウイルス性は25→26→36→48％と増加した。HBV，HCV，アルコール性肝硬変のいずれも経時的に平均年齢は上昇し，肝癌合併率は2012年までは増加していたが，今回は低下した（図2）。

■ 考　察

近年，HBV・HCV感染が制御され，アルコールや生活習慣関連の脂肪性肝疾患が増加し，肝硬変像は変貌している。当院の肝硬変においてもHCVが低下し，非ウイルス性の増加が目立つ。2016年は非ウイルス性が肝硬変の48％を占め，半数以上がアルコールであった。アルコール，HBVは比較的若年であり，HCVが高齢化傾向にあった。肝癌合併率はHBV・HCVは約5割と前回までと変わらず，原因不明（NASH関連／成因不明）は前回まで約6割と報告したが，今回減少した。NASH関連を原因不明に含めており，NASHの認知度の上昇により早期に診断される機会が増え，原因不明肝硬変の絶対数が増えたことより，肝癌合併率が減少しただけとも考えられるため，今後も引き続き検討が必要である。

■ 結　語

以上，肝硬変の成因別実態について上記の結果を得た。

参考文献

1) 尾下正秀，他：肝硬変の成因別実態．肝硬変の成因別実態1998，小林健一，清澤研道，岡上武編，中外医学社，東京，pp.235，1999
2) 榎原良一，他：当院における肝硬変の成因別実態．肝硬変の成因別実態2008，恩地森一監修，青柳豊，西口修平，道堯浩二郎編，中外医学社，東京，pp.187，2008
3) 尾下正秀，他：当院における肝硬変の成因に関する検討．我が国における非B非C肝硬変の実態調査2011，高後裕監修，青柳豊，橋本悦子，西口修平，他編，響文社，北海道，pp.176，2012

49 当院における肝硬変の成因別実態

香川大学医学部消化器・神経内科
田所　智子　大浦　杏子　中原　麻衣　藤田　浩二　三村　志麻
坂本　鉄平　野村　貴子　谷　丈二　三好　久昭　森下　朝洋
米山　弘人　出口　章広　樋本　尚志　正木　勉

■ 目　的

当科で経験した肝硬変症例を成因別に分類し，その臨床的特徴について検討を行った。

■ 方　法

対象は2007年4月から2017年3月までに当科で経験した肝硬変症例668例である。これらを「慢性肝炎・肝硬変の診療ガイド2016」に従い成因を分類した。前期（2007年4月～2012年3月）319名と後期（2012年4月～2017年3月）349名の肝硬変患者に分け臨床的検討を後ろ向きに調査し，さらに肝細胞癌合併例の臨床的特徴について検討を行った。

■ 成　績

全期間における成因別分類は，ウイルス性肝炎399例（B型：64例，C型：331例，B＋C型：4例），アルコール性120例，自己免疫性15例，胆汁うっ滞型26例，非アルコール性脂肪肝炎（NASH）49例（うち26例が生検にて診断），原因不明59例であった（図1）。男性67.8％，女性32.2％，平均年齢68.0歳，肝細胞癌合併を69.8％に認めた。観察期間内に死亡が確認された例は117例あり，死因として肝細胞癌が55.6％で最多であった。

肝細胞癌合併率は，ウイルス性肝炎：75.4％（B型：76.6％，C型：74.9％，B＋C型：100％），アルコール性：67.5％，自己免疫性：20％，胆汁うっ滞型：15.4％，NASH：55.1％，原因不明：84.7％であった。

前期・後期で比較すると平均年齢や男女比には変化がなく，ウイルス性が減少し，非ウイルス性の増加（37.3％→44.1％）が認められた。肝細胞癌合併例においても非ウイルス性の増加（33.3％

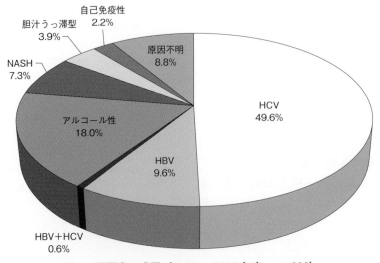

図1　肝硬変の成因（2007～2016年度，n＝668）

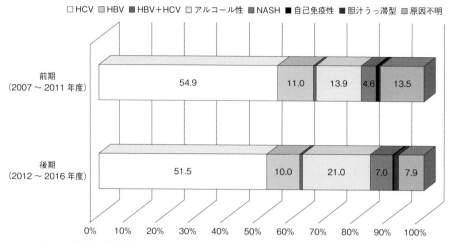

図2　肝細胞癌合併肝硬変における成因別変遷（2007～2016年度，n=466）

→38.0％）が認められ（図2），高齢で糖尿病や高血圧の合併が高かった。

考案

当科でこれまでに検討した肝硬変の成因別実態[1～4]と比較しても，C型は漸減し，近年の治療の進歩により今後さらに減少していくと予想される。今後の課題はウイルス治療後や，非ウイルス性肝硬変患者の予後である。肝硬変患者の最大の死因である肝細胞癌合併例では成因に関わらず，生活習慣病や飲酒歴を有するものが多かった。

結語

ここ10年で生活習慣病を背景とした非ウイルス性肝硬変の増加が認められた。中でも高齢者，糖尿病や高血圧の合併は肝細胞癌の高リスク群であり厳重な経過観察が必要であると考えられた。

参考文献

1) 木村泰彦，西岡幹夫：当科における肝硬変の成因別実態―その特徴および経年的推移についての検討―．肝硬変の成因別実態1998，小林健一，清澤研道，岡上　武編．中外医学社，東京，pp.260-264，1999
2) 出口章広，黒河内和貴，木村泰彦，他：当科における肝硬変の成因別実態．肝硬変の成因別実態2008，恩地森一監修，青柳　豊，西口修平，道堯浩二郎編，中外医学社，東京，pp.226-229，2008
3) 出口章広，米山弘人，正木勉：当科における非B非C肝硬変の実態調査．我が国における非B非C肝硬変の実態調査2011，高後　裕監修，青柳　豊，橋本悦子，西口修平，他編，響文社，北海道，pp.190-193，2011
4) 三好久昭，正木勉，他：当科における肝硬変の成因別実態．肝硬変の成因別実態2014，泉並木監修，医学図書出版，東京，pp.48-51，2015

50 当科における肝硬変の成因別実態

*1 香川県立中央病院肝臓内科　*2 同検査部
筒井　朱美*1　妹尾　知典*1　永野　拓也*1　馬場　伸介*2　高口　浩一*1

■ はじめに

　肝硬変は，肝不全に進行したり，食道・胃静脈瘤や肝性脳症などの合併症を引き起こしたり，肝細胞癌の発生母地にもなるため，その予防と治療は重要な課題である。そして，肝硬変の成因によって肝細胞癌の発生率や生存率が異なり，肝硬変の成因の現状を知ることは，予後予測や治療戦略を立てる上で非常に重要である[1～3]。今回われわれは，当科における肝硬変の成因別実態を検討した。

■ 対象と方法

　当科で2017年10月までに画像診断，肝生検，血液検査により肝硬変と診断した1,101例（男性625例，女性476例，平均年齢67.8±11.9歳（18～94歳））について解析した。また，2008年1月1日以前の328例を前期群（男性183例，女性145例，平均年齢70.0歳），2008年1月から2012年12月31日までの344例を中期群（男性192例，女性152例，平均年齢68.3歳），2013年1月から2017年9月30日までの429例を後期群（男性250例，女性179例，平均年齢67.3歳）とし比較検討した。

■ 成　績

　肝硬変の成因別実態を表1に示す。当院における肝硬変の成因の割合は，C型が518例（47.0%）と最も多く，B型69例（6.3%），B+C型4例（0.4%）でウイルス性が591例（53.7%）であった。非ウイルス性は510例（46.3%）で，胆汁うっ滞性（PBC+PSC）102例（9.3%），アルコール性（ALD）99例（9.0%），非アルコール性脂肪性肝炎（NASH）65例（5.4%），自己免疫性（AIH）56例（5.1%），うっ血性1例（0.1%），原因不明187例（17.0%）であった。原因不明症例は，生活習慣病合併（糖尿病，高脂血症，高血圧）114例，飲酒歴あり81例，HBc抗体陽性8例，抗核抗体陽性31例であった（重複例あり）。

1. 成因別の年齢と男女比

　年齢では，アルコール性が中央値59.6歳と最も若く，C型が中央値69.5歳と最も高齢であった。また，男女比はアルコール性，B型・C型合併例で男性が多い傾向であり，自己免疫性，胆汁うっ滞性は女性が多い傾向であった。

2. 期間別の成因の推移

　期間別の成因は，前期群／中期群／後期群：HBV 32例（9.8%）／19例（5.5%）／18例（4.2%），HCV 212（64.6）／157（45.6）／149（34.7），HBV+HCV 2（0.6）／0（0）／2（0.5），ALD 25（7.6）／26（7.6）／48（11.2），AIH 14（4.3）／18（5.2）／24（5.6），胆汁うっ滞性20（6.1）／28（8.1）／54（12.6），うっ血性0（0）／0（0）／1（0.2），NASH 4（1.2）／17（4.9）／44（10.3），その他19（5.8）／79（23.0）／89（20.7）であった。組織学的にNASHと診断されていた症例は前期群1例，中期群8例，後期群32例であった。前期群より中期群でHBV（p=0.0355），HCV（p<0.001）が減少し，NASH（p=0.0056），その他（p<0.001）が有意に増加していた。中期群より後期群でHCV（p=0.0019）が減少し，NASH（p=0.0057），胆汁うっ滞性（p=0.0434）が有意に増加していた（図1）。

表1 肝硬変の成因別分類

成因	症例数	（%）	男	女	男女比（%）	年齢中央値	（最小値～最大値）
B型	69	6.3	39	30	56.5	62.6	(39～87)
C型	518	47	309	209	59.7	69.5	(32～94)
B+C型	4	0.4	3	1	75	62.5	(52～68)
アルコール	99	9	89	10	89.9	59.6	(35～88)
自己免疫性	56	5.1	17	39	30.4	67.6	(26～86)
胆汁うっ滞性	102	9.3	15	87	14.7	64.3	(27～91)
代謝性	0	0	0	0	—	—	—
うっ血性	1	0.1	1	0	100	69	69
薬物性	0	0	0	0	—	—	—
特殊な感染症	0	0	0	0	—	—	—
NASH	65	5.9	30	35	46.2	67.8	(48～81)
原因不明	187	17	122	65	65.2	66.7	(18～94)
ウイルス性	591	53.7	351	240	59.4	64.9	32～94
非ウイルス性	510	46.3	274	236	53.7	65.2	18～94
合計	1,101	100	625	476	56.8	67.8±11.9	18～94

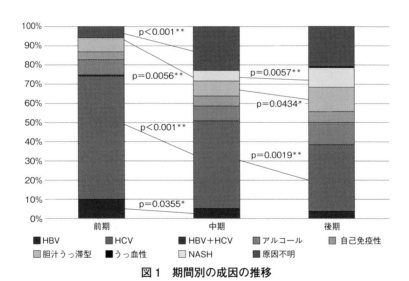

図1 期間別の成因の推移

3. 期間別の肝癌合併例の成因の推移

肝癌合併例は肝硬変症例1,101例中433例（39.3%），前期群169例（51.5%），中期群137例（40.0%），後期群127例（29.6%）であった．肝癌合併例の成因は前期群／中期群／後期群：HBV 19例（11.2%）/13例（9.5%）/8例（6.3%），HCV 130（76.9）/77（56.2）/69（54.3），HBV+HCV 2（1.2）/0（0）/0（0），ALD 6（3.6）/5（3.6）/9（7.1），AIH 2（1.2）/4（2.9）/3（2.4），胆汁うっ滞性2（1.2）/3（2.2）/2（1.6），NASH 4（2.4）/6（4.4）/11（8.7），その他4（2.4）/29（21.2）/25（19.7）であり，前期群より中期群でHCV（p<0.001）が有意に減少していた（図2）．

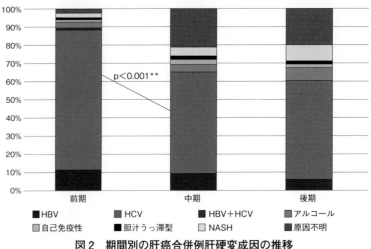

図2 期間別の肝癌合併例肝硬変成因の推移

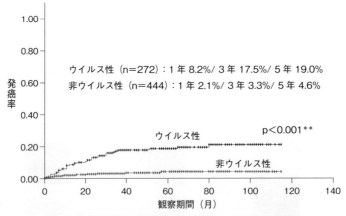

図3 累積肝癌発症率(ウイルス性vs.非ウイルス性)

4. 累積生存率

全肝硬変症例の累積生存率は，1年89.7%/3年81.4%/5年75.9%/10年58.1%であった。ウイルス性（n=716）の累積生存率は，1年89.4%/3年78.1%/5年72.0%/10年41.5%，非ウイルス性（n=510）の累積生存率は，1年90.0%/3年85.0%/5年79.8%/10年76.1%であり，ウイルス性より非ウイルス性の累積生存率が有意に良好であった（p<0.001）。

5. 累積肝癌発症率

肝硬変と診断した時点で肝癌を発症していなかった症例（n=716）において，累積肝癌発症率は1年4.3%/3年8.9%/5年10.4%であった。ウイルス性（n=272）の累積肝癌発症率は1年8.2%/3年17.5%/5年19.0%，非ウイルス性（n=444）の累積肝癌発症率は1年2.1%/3年3.3%/5年4.6%であり，非ウイルス性よりウイルス性の累積肝癌発症率が有意に高かった（p<0.001）（図3）。

◻ 考 察

2014年における肝硬変の成因別実態調査では，C型肝硬変の占める割合が53.3%と最も多かったが，2007年までと2008年以降を比較するとウイルス性肝硬変が74.9%から59.6%と，その占める割合が減少していた[3]。当院では，C型肝硬変の占める割合が47%と最も多かったが，期間別の推移を検討するとB型，C型ともにウイルス性肝硬変の占める割合が減少していた。この原因は抗ウイルス療法によって慢性肝炎から肝硬変への

進展例が減少したと考えられる。また，抗ウイルス療法によって有意に発癌率が低下することも判明している[4,5]。ウイルス性肝硬変は減少しているが，非ウイルス性肝硬変より生存率が低く，発がん率が高い。よって，今後さらに抗ウイルス療法を推進していくことが大切である。

一方で，非ウイルス性肝硬変の割合が増加していた。なかでもNASHは，期間別の推移を検討すると有意にその占める割合が増加していた。また，統計学的に有意な増加ではなかったが，肝癌合併例でもNASHの占める割合が増加している。生活様式の変化に伴い肥満，糖尿病，高血圧などの生活習慣病が増加しているため，今後，さらにNASHが増加することが予想される。しかし，その囲い込みの方法や薬物療法は確立されていない。今後，非ウイルス性肝疾患の囲い込み，経過観察の体制や治療法の確立を目指す必要がある。

■ 結 語

肝硬変および肝硬変を背景とした肝癌の成因別頻度は，ウイルス性が減少し，NASHを含む非ウイルス性の割合が増加していた。

参考文献

1) 道堯浩二郎，徳本　良，日浅陽一，他：肝硬変の成因別実態．臨床内科 29：403-408, 2014
2) Michitaka K, Nishiguchi S, Aoyagi Y, et al: Etiology of liver cirrhosis in Japan: a nationwide survey. J Gastroenterol 45: 86-94, 2010
3) 肝硬変の成因別実態 2014, 泉　並木監修, 医学図書出版, 東京, 2015
4) Ikeda K, Kobayashi M, Seko Y, et al: Administration of interferon for two or more years decreases early stage hepatocellular carcinoma recurrence rate after radical ablation: A retrospective study of hepatitis C virus-related liver cancer. Hepatol Res 40: 1168-1175, 2010
5) Ikeda K, Saitoh S, Koida I, et al: A multivariate analysis of risk factors for hepatocellular carcinogenesis: a prospective observation of 795 patients with viral and alcoholic cirrhosis. Hepatology 18: 47-53, 1993

51 当科における肝硬変の成因別分類

愛媛大学大学院医学系研究科消化器・内分泌・代謝内科学
渡辺　崇夫　行本　敦　砂金光太郎　田中　孝明
石原　暢　今井　祐輔　小泉　洋平　吉田　理
廣岡　昌史　阿部　雅則　日浅　陽一

はじめに

愛媛大学医学部附属病院における肝硬変の成因別頻度を示し，現在の愛媛県における肝硬変の臨床像を明らかにすることを目的として検討を行った。

対象と方法

対象は2001年から2016年12月までに当科に入院し，組織学的または臨床的に肝硬変とした883例。肝硬変の成因別頻度，肝細胞癌の合併率，肝細胞癌の発生率，生存率について検討した。肝細胞癌発生率，生存率についてはKaplan-Meier法を用いて検討した。

成　績

1. 肝硬変の成因別頻度

図1に2001～2016年全体の肝硬変の成因別頻度を示す。883例のうち，男性560例，女性323例，肝硬変診断時の年齢は12～90歳（中央値67.5歳）であった。HCVが最も頻度が多く47.7％であり，HBVは14.8％であった。その他，アルコール性15.1％，NASH 8.8％，自己免疫性3.7％，胆汁うっ滞型6.0％，うっ血型1.1％，代謝性0.3％，薬物性0.2％，原因不明1.2％であった。NASHと診断した78例のうち，組織診断を行い確定診断した症例は51例（65.3％）であった。

2. 最近6年間とそれ以前での肝硬変の成因の推移

成因別頻度について2001～2010年と2011～2016年に分けて比較した（図2）。2011年以降ではそれ以前と比較して，ウイルス性，特にHCVの低下がみられ，またNASHの増加がみられた。アルコール性も13.0％から17.1％に増加していた。

3. 肝細胞癌の合併

肝硬変の診断時にすでに肝細胞癌の合併があった症例は488例であった。肝硬変診断時に肝細胞癌の合併があった症例の成因は，HBV 18.9％，HCV 58.6％，アルコール性12.9％，NASH 5.9％であった。一方肝細胞癌の合併がなかった症例ではHBV 9.9％，HCV 34.2％，アルコール性17.7％，NASH 12.4％であった（図3a）。ウイルス性は肝細胞癌合併なしに比べ，合併ありで頻度が高かった。肝硬変診断時にすでに肝細胞癌を合併していた割合を図3bに示す。アルコール性，NASHでも比較的高率であった。

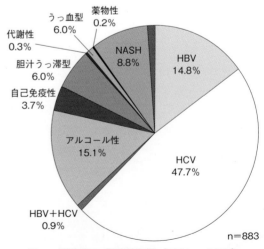

図1　肝硬変の成因別分類（2001～2016）

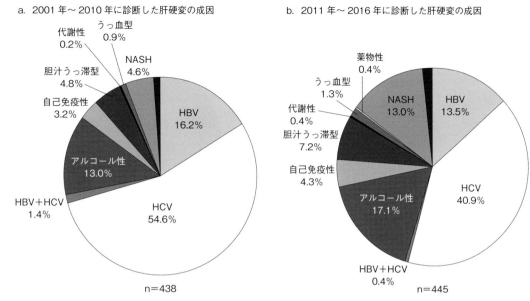

図2 肝硬変の成因 年代別推移

4. 肝細胞癌の発生率

肝硬変診断時に肝細胞癌のなかった症例のうち，経過を終えた313例から45例で肝細胞癌を発症し，累積肝細胞癌発症率は1，3，5年で3.9，11.2，17.4％であった。成因別ではウイルス性7，16.9，24.5％，アルコール性0，0，14％，NASH 0，15，15％であり，有意差はないもののウイルス性で高率であった（**図4a**）。

5. 肝硬変成因別の死亡率

肝硬変症例全体の死亡率は3，5，10年で80.1，68.6，52.5％であった。成因別でみるとウイルス性78.8，70.6，55.8％，アルコール性で68.7，46.5，13.2％，NASH 87.5，73.5，66.8％であり（**図4b**），アルコール性で有意に生存率が低かった（p＝0.002，Log-rank test）。今回の検討は当科入院症例での検討であり，アルコール性肝硬変例では，進行した状態で初めて診断されることが多いため，生存率が有意に低かったと考えられる。

■ 考　察

C型肝炎に対するDAA治療の急速な普及により，本邦におけるC型肝炎患者は高齢化しながらもウイルス学的根治が得られてきている。肝硬変の成因のうちHCVは減少傾向を示すと予想されており，今回の検討でも2001〜2010年，2011〜2016年で比較すると54.6％→40.9％へと低下していた。一方，非B非C型肝硬変の比率のうち，アルコール性，NASHの割合がそれぞれ13.0％→17.1％，4.6％→13.0％の増加がみられた。当科では以前から原因不明の肝障害の症例には腹腔鏡下肝生検を含め積極的に診断を行っている。全国集計に比べて自己免疫性肝炎，原発性胆汁性胆管炎の疾患の割合が多いのはそのためと思われる。血清学的に有意な所見がない症例でも腹腔鏡下肝生検でこれらの疾患による肝硬変の診断に至る症例もあり可能な限り積極的な生検が望ましい。当科の過去の報告と比較してこれらの疾患の頻度に明らかな差はなく，一定の割合で存在していると考えられる[1〜3]。

肝疾患による死亡を防ぐためには，肝硬変の移行を阻止することに加え，肝硬変から肝細胞癌の発生をいかに減らすかが重要である。当科におけるこれまでの報告と比較し，肝細胞癌合併例のうちHCVの割合は明らかに低下していた[3]。DAA治療を中心とした抗ウイルス療法の進歩によるものと思われ，実際にSVR達成例の肝細胞癌発生率は年率1.6％であり，SVR非達成例の年率10.1％

51 当科における肝硬変の成因別分類

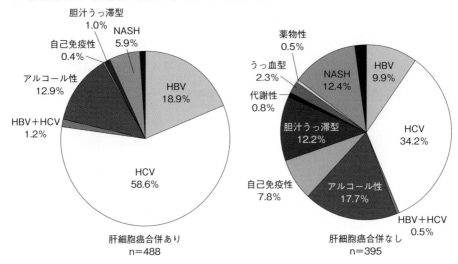

a. 肝硬変診断時に肝細胞癌を合併あり，なしによる成因の違い

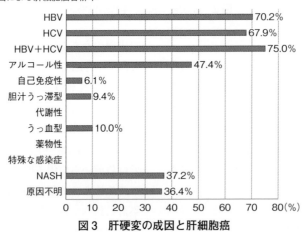

b. 肝硬変の成因による肝細胞癌合併率

図3 肝硬変の成因と肝細胞癌

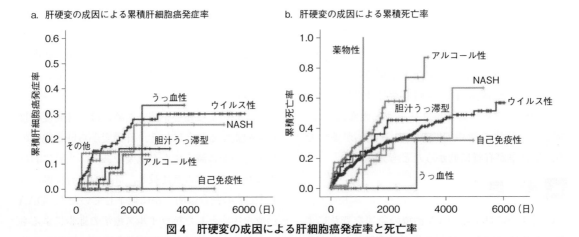

a. 肝硬変の成因による累積肝細胞癌発症率　　b. 肝硬変の成因による累積死亡率

図4 肝硬変の成因による肝細胞癌発症率と死亡率

に比べて明らかに低率であった（p＝0.001, Log-rank test）。HBVに対しては核酸アナログ製剤を中心に治療が行われているが，現在のところ肝細胞癌の発症抑制は明らかでなく，今後の課題であると考えられる。アルコール性，NASHにおける肝細胞癌発生率は今回の検討では肝硬変全体の年率3.4％に比べて，アルコール性2.8％，NASH 3.0％であり決して低い発生率ではなかった。

■ 結　語

当科における肝硬変患者の成因別分類を明らかにした。肝硬変の成因は最近ではウイルス性の低下，NASHの増加が目立った。肝細胞癌の合併はウイルス性で高率であったが，HCVでは抗ウイルス療法により減少が期待できる。またアルコール性やNASHについても肝細胞癌発生率は低率ではなく定期的な肝細胞癌スクリーニングが必須である。

参考文献
1) 徳本良雄，眞柴寿枝，道堯浩二郎，他：肝硬変の成因別実態．肝硬変の成因別実態2008, 中外医学社，東京，pp.230-234, 2008
2) 徳本良雄，眞柴寿枝，恩地森一：当科における非B非C型肝硬変の実態．非B非C肝硬変の実態2011, 響文社，北海道，pp.43-47, 2012
3) 徳本良雄，今井祐輔，小泉洋平，他：愛媛大学における肝硬変の成因別実態．肝硬変の成因別実態2014, 医学図書出版，東京，2015

52 当科の肝硬変の成因別実態

広島大学病院消化器・代謝内科
相方　浩　難波麻衣子　児玉健一郎　内川　慎介　檜山　雄一
盛生　慶　中原　隆志　村上　英介　河岡　友和
柘植　雅貴　平松　憲　今村　道雄　茶山　一彰

■ はじめに

肝硬変の成因について，これまで全国調査が行われており，当科では，1998年から2012年の肝硬変症例の成因について報告してきた[1〜5]。今回，新たに2013年から2016年の肝硬変症例を追加して，当科の肝硬変の成因の変遷について検討した。

■ 対象

対象は，1998年から2016年に当科を初回受診した患者のうち，臨床的または病理学的に肝硬変と診断された1,350例とした。

調査期間を，I期（1998〜2004年，272例），II期（2005〜2010年，519例），III期（2011〜2016年，559例）に分けて，当科の肝硬変の成因の変遷を比較した。肝硬変の成因は，応募要項により，肝臓学会編集「慢性肝炎・肝硬変の診療ガイド2016」[6]の分類に従った。

■ 結果

1. 当科の診断時期別肝硬変の成因

当科の肝硬変の診断時期別の成因および年齢，性別を表1に示す。

I/II/III期における肝硬変成因別の割合は，

表1　当科の肝硬変の成因

分類		I期（1998〜2004年）					II期（2005〜2010年）					III期（2011〜2016年）				
		人数	%	年齢中央値	男	女	人数	%	年齢中央値	男	女	人数	%	年齢中央値	男	女
ウイルス性	HBV	56	20.6	53	44	12	102	20	58	81	21	66	12	62	55	11
	HCV	174	64	66	113	61	313	60	67	201	112	269	48	71	155	114
	HBV＋HCV	10	3.7	61	8	2	10	2	66	8	2	3	0.5	66	3	0
アルコール性	Alcoholic	12	4.4	61	11	1	42	8	61	40	2	120	21	66	106	14
自己免疫性	AIH	8	2.9	40	2	6	2	0.4	58	1	1	9	2	62	1	8
胆汁うっ滞型	PBC	6	2.2	56	0	6	6	1	50	0	6	10	2	70	3	7
	PSC	0	0	0	0	0	1	0.2	22	0	1	0	0	0	0	0
	その他	2	0.7	42	0	2	1	0.2	33	0	1	2	0.4	9	1	1
代謝性	ウィルソン病	1	0.4	37	0	1	0	0	0	0	0	0	0	0	0	0
	ヘモクロマトーシス	0	0	0	0	0	2	0.4	53	1	1	1	0.2	18	1	0
	ポルフィリン血症	0	0	0	0	0	1	0.2	31	1	0	0	0	0	0	0
うっ血性	Budd-Chiari syn.	1	0.4	46	0	1	1	0.2	18	0	1	0	0	0	0	0
	心不全	0	0	0	0	0	0	0	0	0	0	1	0.2	72	0	1
薬物性	薬物性肝障害	0	0	0	0	0	0	0	0	0	0	1	0.2	53	1	0
特殊な感染症		0	0	0	0	0	0	0	0	0	0	0	0	0	0	0
NASH	組織診断例	0	0	0	0	0	1	0.2	45	0	1	2	0.4	65	2	0
	臨床的疑診例	1	0.4	79	0	1	6	1	69	2	4	38	7	67	20	18
原因不明		1	0.4	80	1	0	31	6	70	22	9	37	7	73	20	17
	計	272			179	93	519			357	162	559			368	191

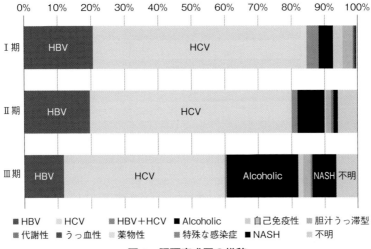

図1 肝硬変成因の推移

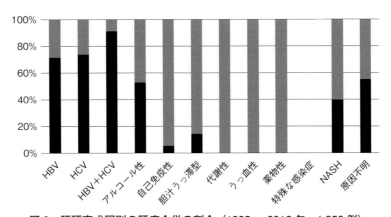

図2 肝硬変成因別の肝癌合併の割合（1998〜2016年，1,350例）

HBV 21/20/12%，HCV 64/60/48%，HBV+HCV 4/2/1%，アルコール性 4/8/21%，自己免疫性肝炎 3/0.4/2%，胆汁うっ滞型 3/2/2%，代謝性 0.4/1/0.2%，うっ血性 0.4/0.2/0.2%，薬物性 0/0/0.2%，NASH 0.4/1/7%，原因不明 0.4/6/7% であった。NASH症例のうち，組織診断例は3例（6%）であった。特殊な感染症による肝硬変は認めなかった。図1に，診断時期別の成因の割合の比較を示す。Ⅰ期，Ⅱ期では，ウイルス性肝硬変が約80%を占めていたのに対し，Ⅲ期では約60%に減少しており，ウイルス別にはHBV，HCVいずれも減少傾向にあった。一方，Ⅲ期では，アルコール性が約20%，NASHが約7%と増加傾向にあった。また，原因不明肝硬変の割合は，Ⅱ期，Ⅲ期では，6%，7%と，Ⅰ期0.4%に比べ，増加していた。

2. 肝硬変成因別の肝癌合併の割合（図2）

肝硬変成因別の肝癌合併の割合は，HBV 71%，HCV 74%，B+C型 91%，アルコール性 53%，自己免疫性 5%，胆汁うっ滞型 14%，代謝性 0%，うっ血性 0%，薬物性 0%，NASH 40%，原因不明 55%であった。当科のNASH，原因不明肝硬変例の約半数に肝癌を認めた。

3. 原因不明肝硬変症例について（図3）

原因不明肝硬変69例の内訳は，男性43例（62%），女性26例（38%），年齢中央値72歳（30〜84歳）であった。BMI 23（中央値），BMI 25以上23例（33%）。糖尿病，高血圧，脂質異常症

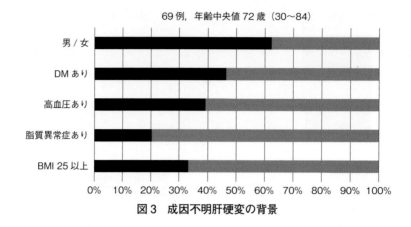

図3 成因不明肝硬変の背景

合併者の割合は，それぞれ，46％，39％，20％であった。また，31例（45％）は機会飲酒以下の飲酒歴であり，その他の38症例の1日飲酒量中央値は，男性28g，女性21gであった。

■ 考　察

当院の肝硬変症例の成因について，診断時期別に，Ⅰ期（1998〜2004年），Ⅱ期（2005〜2010年），Ⅲ期（2011〜2016年）に分けて，調査した。いずれの時期も，肝硬変の成因の割合として最も多いのは，ウイルス性肝硬変であったが，Ⅲ期では，Ⅰ期，Ⅱ期に比べ，HBV，HCVともに減少していた。一方，アルコール性肝硬変の割合は，増加傾向にあり，Ⅲ期では21％と，HBVを上回った。また，組織診断例と臨床的疑診例をあわせたNASH診断例の割合は，増加傾向にあった。原因不明例での糖尿病，高血圧，脂質異常症，BMI 25kg/m^{2}以上の症例の割合は高く，原因不明肝硬変症例に，生活習慣病に関連する肝硬変やいわゆるburnout NASHが一定数含まれている可能性が示唆された。

■ 結　語

当科の肝硬変成因別調査では，アルコール性，NASHの増加傾向と，ウイルス性肝硬変の減少傾向がみられた。また，生活習慣病に関連した肝硬変症例の増加が示唆された。

参考文献

1) 肝硬変の成因と予後，太田康幸，原田　尚編．南江堂，東京，1984
2) 肝硬変の成因別実態，太田康幸，原田　尚，小林健一編．日本医学館，東京，1992
3) 肝硬変の成因別実態1998，小林健一，清澤研道，岡上　武編，中外医学社，東京，1999
4) 肝硬変の成因別実態2008，恩地森一監修，青柳　豊，西口修平，道堯浩二郎編，中外医学社，東京，2008
5) 肝硬変の成因別実態2014，泉　並木監修，医学図書出版，東京，2015
6) 慢性肝炎・肝硬変の診療ガイド2016，肝臓学会編，文光堂，東京，2016

53 山陰地方における肝硬変の成因別実態

*1 鳥取大学医学部附属病院がんセンター　*2 鳥取大学医学部機能病態内科学
*3 鳥取県肝疾患相談センター
大山　賢治[*1,2]　岡野　淳一[*2,3]　磯本　一[*1,2]

はじめに

わが国では非ウイルス性肝硬変，特に非アルコール性脂肪肝炎（NASH）由来のものが注目されており，山陰地方での成因の変遷を臨床的特徴とともに検討した。

対象と方法

1998年から2016年までの19年間に当科に入院した新規肝硬変患者859例を対象とした。成因は「慢性肝炎・肝硬変の診療ガイド2016」に基づき分類した。年代別に1998〜2001年をⅠ期（139例），2002〜2006年をⅡ期（252例），2007〜2011年をⅢ期（281例），2012〜2016年をⅣ期（187例）とした。

成　績

内訳は，B型177例（21%），C型388例（45%），B+C型10例（1.2%），アルコール性179例（21%），自己免疫性15例（1.7%），胆汁うっ滞型10例（1.2%），代謝性4例（0.5%），うっ血性3例（0.3%），NASH37例（4.3%），原因不明36例（4.1%）であった。NASHについては組織学的な確定例がなく，すべて臨床的の疑診例であった。肝癌合併は成因別にそれぞれ123例（69%），318例（82%），8例（80%），82例（46%），4例（27%），3例（30%），1例（25%），0例（0%），26例（70%），14例（39%），全体579例（67%）であり，入院例のバイアスがあるがウイルス性およびNASHで高率であった。平均年齢はそれぞれ61歳，70歳，65歳，64歳，67歳，66歳，53歳，51歳，72歳，69歳とC型，NASHで高かった。男性割合はそれぞれ69%，59%，70%，88%，13%，30%，100%，67%，41%，72%と，アルコール性，代謝性で高かった。年代別の割合（Ⅰ期/Ⅱ期/Ⅲ期/Ⅳ期）では，B型（24%/23%/22%/12%）やC型（49%/55%/38%/40%）のウイルス性の割合が近年減少しており，アルコール性（20%/10%/25%/29%），NASH（0.7%/5.6%/4.3%/5.3%），原因不明（2.2%/2.0%/5.3%/7.0%）では逆に増加していた（図1）。NASH37例の合併症はBMI 25超25例（68%），高血圧23例（62%），糖尿病28例（76%），脂質異常6例（16%）であった。年代別（Ⅰ期（1例）/Ⅱ期（14例）/Ⅲ期（12例）/Ⅳ期（10例））では，平均年齢70歳/69歳/73歳/76歳，男性割合0%/43%/42%/40%，BMI 25超100%/64%/50%/90%，合併症は，高血圧0%/36%/83%/80%，糖尿病0%/71%/83%/80%，脂質異常0%/14%/25%/10%，肝癌100%/64%/75%/70%であり，近年高齢化，高血圧合併例の増加を認めた（図2）。

考察とまとめ

Ⅳ期のNASHと原因不明を合わせた割合は12.3%であり，2014年全国統計の12.5%（2008年以降の症例）とほぼ同様であった。全国的な傾向と同じく，山陰地方でもアルコール性，NASH，原因不明など非ウイルス性肝硬変の割合が増加していた。NASH肝硬変では高齢化，高血圧合併割合の増加がみられた。

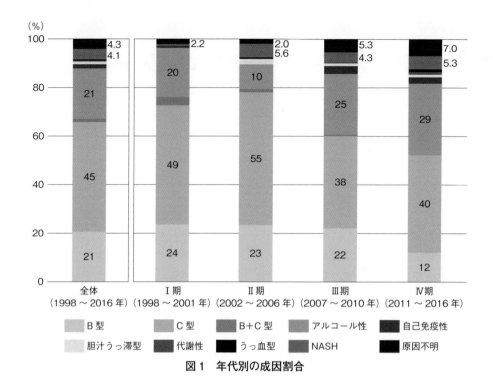

図1 年代別の成因割合

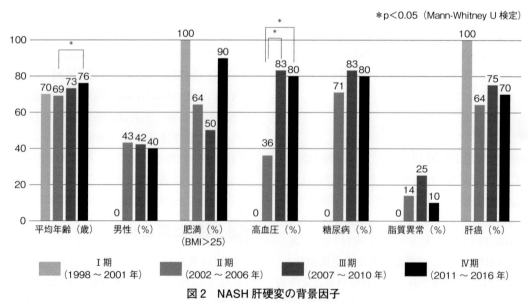

図2 NASH肝硬変の背景因子

54 島根県における肝硬変の成因別実態の変遷

島根大学医学部附属病院肝臓内科
佐藤　秀一　矢崎　友隆　飛田　博史

■ はじめに

島根県は全国に先駆けて高齢化が進んでいる地域である。治療薬の進歩によりB型肝炎ウイルスは制御され，C型肝炎ウイルスは排除できる時代になってきている。本地域においても近年，全国同様に生活習慣や環境の変化，肝炎ウイルス制御が進んでいる可能性がある。これらの変化のなかで，山陰地区における肝硬変の成因別実態がどのように変遷して，その生命予後がどのように変化しているのかは，興味深いところである。そこで今回，2000年以降に当院に入院した肝硬変患者を対象に成因別頻度を調査するとともに年代別頻度，生存率の変化を調査した。

■ 方　法

2000年1月から2017年3月までの間に当科に入院した肝硬変患者を対象とした。これらを慢性肝炎・肝硬変の診療ガイドに基づき成因別に分類した。分類された肝硬変の成因の年代別変遷および生命予後について調査した。

■ 結　果

対象期間内の肝硬変患者は345例で，男性229例，女性116例，平均年齢は67.0±10.5歳，平均観察期間は1,137日であった。観察期間内の各種肝硬変は，ウイルス性肝炎228例（C型188例，B型36例，B＋C型4例），アルコール性74例，自己免疫性19例（PBC 13例，AIH 4例，PBC＋AIH 2例）非アルコール性脂肪肝炎（NASH）11例，代謝性1例，原因不明12例であった。成因別にKaplan-Meyerで生存曲線を作成し比較検討したが，各種疾患の生存率において統計学的有意差はみられなかった。しかしながら，ウイルス性と非ウイルス性の比較では非ウイルス性肝硬変がウイルス性肝硬変に比べて生存率が長かった（p＝0.043）。2000～2005年（前期，N＝196）2006～2011年（中期，N＝93），2012～2017年（後期 N＝56）別の肝硬変主要成因の変化（％）はアルコール性16.3→28.0→28.6，HCV関連60.2→49.5→35.7，HBV関連14.3→4.3→7.1，自己免疫性3.6→9.7→5.4，NASH 1.5→5.4→5.4とウイルス関連のものは年代とともに減少傾向で，中・後期のアルコール性の占める割合が増加し，NASHの割合は大きな変化はみられなかった（図1）。平均年齢（歳）は前期66.3，中期66.1，後期71.4と有意に後期で高齢であった（p＝0.002）（図2）。上記3つの年代別に成因別の生存率を比較検討したが，各成因間に有意な差はみられなかった。

■ 考　察

今回の検討では，肝硬変におけるアルコール性の割合が増加し，ウイルス性の割合が減少していることが明らかになった。また，肝硬変の平均年齢では約10年の経過で約5歳高齢化し，70歳を超えてきていることも明らかとなった。島根県は高齢圏で，飲酒費用は全国7位と高く[1]，この背景が反映されていると考えられた。加えて，HBV制御およびHCVの排除により，ウイルス性肝炎の割合が低下していることが結果に反映されていた。

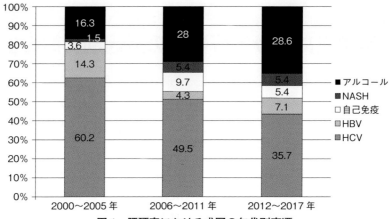

図1 肝硬変における成因の年代別変遷

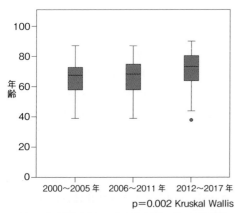

図2 肝硬変における平均年齢の年代別変遷

結論

島根県における近年の肝硬変は高齢化し，ウイルス性の割合が減少し，アルコール性の割合が増加していた。

参考文献

1)「家計調査結果」総務省統計局ホームページ（URL；http://www.stat.go.jp/data/kakei/）

55 当院における肝硬変の実態と経時的変化の検討

*1 山口大学大学院医学系研究科消化器内科学　*2 同臨床検査・腫瘍学

久永　拓郎[*1]　前田　雅喜[*1]　岩本　拓也[*1]　佐伯　一成[*1]
松本　俊彦[*2]　日髙　勲[*1]　丸本　芳雄[*1]　石川　剛[*1]
　　　　　　　　高見　太郎[*1]　山﨑　隆弘[*2]　坂井田　功[*1]

■ 背　景

ウイルス性肝疾患診療の進歩（感染者の減少，普及啓発・検診による早期発見，治療の進歩）や社会背景の変化（高齢化，生活習慣病有病率の増加等）に伴い，慢性肝疾患の進行像である肝硬変についても，その成因や患者背景，臨床経過は変化していると考えられる[1~2]。

■ 目　的

肝疾患診療連携拠点病院である当院単施設で，多数例の臨床情報の集積により，肝硬変患者の成因・病態背景・予後（肝発癌，生存期間）とその変化を検討した。

■ 方　法

対象症例は2006年1月から2017年12月の間に当科を受診し，肝臓専門医により総合的に肝硬変と診断された患者（紹介例を含む），うち初診時に肝癌の合併や既往のある症例を除外した症例計430例（男性239例，女性191例）とした。

1. 基本情報解析

対象症例について，肝硬変の成因割合の男女比較，成因別の診断時年齢・診断時Child-Pughスコアの比較，初診後の無発癌期間および全生存期間の比較を行った。

2. 肝硬変の診断時期別比較

対象期間を前半期：2006～2011年（192例），後半期：2012～2017年（238例）に分け，両期の比較により，肝硬変の患者背景や病態経過の変化を検討した。

統計解析はJUMP Pro 13を用いMann-Whitney's U test, Kaplan-Meier法, Log-rank test等で行った。本研究は当院の治験および人を対象とする医学系研究等倫理審査委員会の承認済である（H27-092, H27-104）。

■ 結　果

1. 基本情報結果

肝硬変の成因は，全期間を通じてHCV（42%）とAlcohol（24%）の割合が多く，男女比較では男性でAlcohol（37%）およびAlcoholとウイルス性の併存が，女性ではHCV（58%），AIH（6%），PBC（5%）が有意に多かった（図1）。

診断時年齢の平均は，全例：63.9 ± 10.8, HCV：67.3 ± 9.4, HBV：54.9 ± 10.0, Alcohol：60.3 ± 10.4, NASH：64.4 ± 11.8, AIH：64.2 ± 8.5, PBC：58.7 ± 15.3 で，HCVと比較するとHBVおよびAlcoholで有意に若年であった（ともに$p<0.05$）。また診断時Child-Pughスコアの平均は，全例：7.0 ± 1.9, HCV：6.6 ± 1.8, HBV：6.2 ± 1.3, Alcohol：7.8 ± 2.3, NASH：6.9 ± 1.9, AIH：7.5 ± 1.8, PBC：6.7 ± 1.6 で，HCVと比較してAlcoholで有意に高値であった（$p<0.05$）。

成因別の経過比較では，HCVと比較するとAlcoholは有意に無発癌期間が長い一方で，全生存期間は逆にAlcoholで有意に短いほか，AIHも短い結果であった。その他有意差はないが，成因別の発癌や全生存期間の傾向については図示する通りである（図2）。

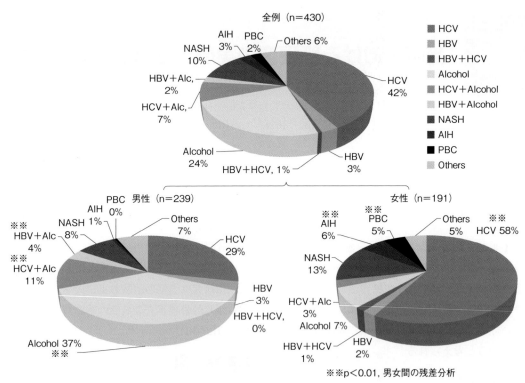

図1 肝硬変の成因分類（2006年1月〜2017年12月）

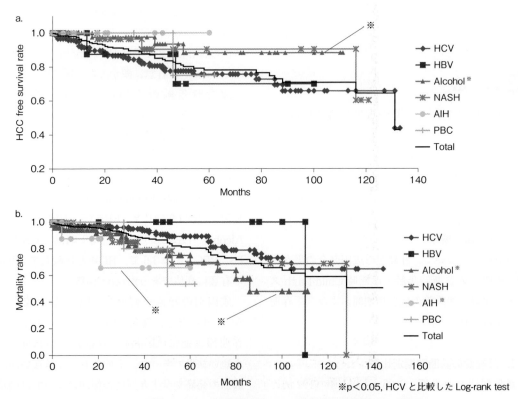

図2 a：肝硬変の成因別無発癌期間，b：肝硬変の成因別全生存期間

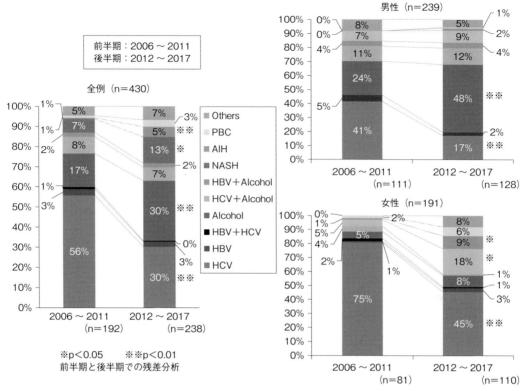

図3 肝硬変の診断時期別の成因割合比較

2. 診断時期別比較結果

診断時期別の比較では，初診時年齢に有意差はないものの（平均年齢：前半期63.9±10.4，後半期63.8±11.1，N.S.），初診時Child-Pughスコアは統計学的に有意でないが後半期で高い傾向にあった（平均：前半期6.7±1.8，後半期7.1±2.0，$p=0.06$）。肝硬変の成因の経時的変化としては，全体にHCV（56%→30%）が減少し，Alcohol（17%→30%），NASH（7%→13%），AIH（1%→5%）が増加していた。特に男性はHCV（41%→17%）の減少とAlcohol（24%→48%）の増加が，女性ではHCV（75%→45%）の減少とNASH（5%→18%），AIH（1%→9%）の増加が有意に認められた（図3）。

無発癌期間，全生存期間の変化については，後半期の観察期間が最長5年と短いものの，前半期と比較して無発癌期間が有意に長いことが示された（Log-rank検定，$p<0.05$）。しかし全生存期間には両期間の間に差を認めなかった（図4）。

■ 考　察

本研究でも，かつて肝硬変の成因の多くを占めていたウイルス性肝疾患が減少し，AlcoholやNASH等非ウイルス性の割合が増加していることが示された。特に男性は前者，女性は後者の増加が目立つ。これはHBVやHCVが抗ウイルス治療の進歩により排除・制御が可能になった一方で，生活習慣を背景とする肝疾患が相対的あるいは絶対的に増えていることが要因と考えられる。なお，本研究では他の報告と比較してHBVの割合が少ないが，これは今回肝癌の合併や既往のある症例を除外対象としており，HBVの中に肝癌の治療目的での紹介が多く存在したことが理由と考えられる（data not shown）。すなわちHBVは癌の合併がない限りは拠点病院（当科）の受診機会に乏しく，他の医療機関で治療・経過観察されているものと推測される。

本研究での成因別比較では，Alcoholは初診時

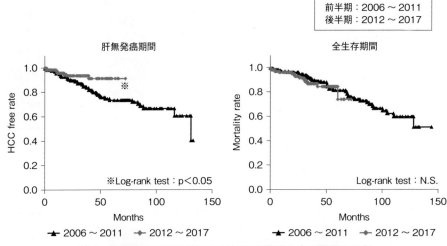

図4 肝硬変の診断時期別の肝無発癌期間と生存期間の比較

のChild-Pughスコアが高く，進行した状態での専門医療機関受診が多いことが示唆された。また，低い肝発癌率にもかかわらず生命予後が不良であった。その他の成因についても肝発癌と全生存期間が必ずしも相関していない（低発癌＝予後良好ではない）。実際，本研究では後半期の肝硬変症例の発癌率は低下している一方で，全生存期間は改善していない。これには初診時のChild-Pughスコアが後半期で高い傾向にあることも関連している可能性がある。このように，発癌は肝硬変の重要な予後規定因子の1つであるが，発癌抑制に加えて，早期からの介入や肝機能維持を目指した治療等が重要であることが示唆された[3]。今後も，成因別の特徴や肝硬変の進行度等を踏まえ，肝発癌以外の病態も念頭においた肝硬変診療が重要である。

謝辞：本研究の一部は平成27年度厚生労働科学研究費補助金　肝炎等克服政策研究事業の中で実施した。

参考文献

1) 我が国における非B非C肝硬変の実態調査2011，高後　裕監修，青柳　豊，橋本悦子，西口修平，他編，響文社，北海道，2012
2) 堀江義則，他：本邦におけるアルコール性肝硬変の実態．肝臓 56（7）：366-368，2015
3) 久永拓郎，他：肝硬変患者に対する肝疾患専門医療機関の早期介入の有効性．山口医学 66(3)：163-168，2017

56 地方都市における肝硬変の成因別実態

広島赤十字・原爆病院消化器内科
本田　洋士　高木慎太郎　森　奈美　辻　恵二

はじめに

わが国の肝硬変の成因はB型肝炎ウイルス（HBV），C型肝炎ウイルス（HCV）の持続感染に伴う症例が多い。近年，抗ウイルス治療の進歩により肝硬変への進展予防が可能となりつつある。一方，非B非C肝硬変は増加傾向にある。今回われわれは肝硬変の成因別実態を明らかにするため，地方都市の中心部に立地する当院での成因と臨床像について検討する。

対象・結果

対象は2004年1月から2017年8月に当科に入院し肝硬変と診断された1,631例（男性911例，女性720例）。診断時の年齢中央値68歳（25～97歳）。成因はB型肝炎（HBV）183例/C型肝炎（HCV）815例/B型C型肝炎合併例（HBV＋HCV）3例/Alcohol 322例/胆汁うっ滞（PBC＋PSC）134例/自己免疫性肝炎（AIH）32例/NASH 22例（内，生検8例）/代謝性疾患（ヘモクロマトーシス）1例/不明119例（表1）。成因について経時的変化をみると，2004～2008年；HBV 100例/HCV 421例/HBV＋HCV 2例/Alcohol 116例/胆汁うっ滞39例/AIH 8例/NASH 2例/代謝性疾患1例/不明60例，2009～2013年；HBV 47例/HCV 226例/HBV＋HCV 0例/Alcohol 97例/胆汁うっ滞48例/AIH 12例/NASH 6例/代謝性疾患0例/不明32例，2014～2017年；HBV 36例/HCV 168例/HBV＋HCV 1例/Alcohol 109例/胆汁うっ滞47例/AIH 12例/NASH 14例/代謝性疾患0例/不明27例であった（図1）。肝予備能はChild-Pugh A 899例/B 528例/C 204例であり，特にAlcohol性肝硬変に非代償期症例を多く認めた。また成因別肝癌合併率はHBV 74例（40.4％）/HCV 382例（46.9％）/HBV＋HCV 0例（0％）/Alcohol 74例（23.0％）/胆汁うっ滞10例（7.5％）/AIH 7例（21.9％）/NASH 6例（27.3％）/代謝性疾患0例

表1　成因別患者背景

	Number（%）	Male/Female	Age（range）
HBV	183（11.2%）	131/52	59（29～85）
HCV	815（50.0%）	407/408	73（34～97）
HBV＋HCV	3（0.2%）	3/0	43（43～79）
Alcohol	322（19.7%）	257/65	62（34～89）
AIH	32（2.0%）	9/23	74（54～90）
PBC/PSC	134（8.2%）	28/106	63（27～87）
NASH	22（1.3%）	12/10	67（36～84）
metabolism	1（0.1%）	0/1	81
Not detected	119（7.3%）	64/55	71（25～89）

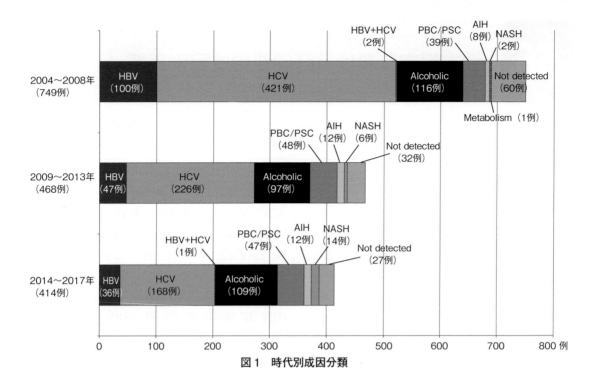

図1 時代別成因分類

(0％)/不明30例（25.2％）でウイルス性肝硬変に肝癌合併例を多く認めた．食道胃静脈瘤合併率はHBV 23例（12.6％）/HCV 121例（14.8％）/HBV＋HCV 0例（0％）/Alcohol 89例（27.6％）/胆汁うっ滞5例（3.7％）/AIH 6例（18.8％）/NASH 4例（18.2％）/代謝性疾患0例（0％）/不明30例（25.2％）で非B非C肝硬変に静脈瘤合併例を多く認めた．死因を①肝癌死，②肝不全死（食道静脈瘤破裂含む），③他病死に分類すると，全体では①223例（36.4％），②286例（46.7％），③104例（17.0％）であった．ウイルス性肝硬変では①182例（42.4％），②185例（43.1％），③62例（14.5％），非B非C肝硬変では①41例（22.3％），②101例（54.9％），③42例（22.8％）で，ウイルス性肝硬変では肝癌・肝不全死，非B非C肝硬変では肝不全死を多く認めた．

考 察

肝硬変の成因として依然HCVに起因する症例を多く認めるが経時的に減少傾向にある．肝炎ウイルスの根治や線維化抑制が可能となったことが要因として考えられる．一方，非B非C肝硬変の比率が増加傾向にある．特にNASHにおいては実数も増加傾向にあり，疾患概念や診断基準の確立が寄与していると思われる．広島県では肝炎ウイルス感染者が比較的多いことが知られており，肝硬変の成因にも反映されていた．しかしその他に突出した成因や臨床背景を認めなかった．広島市は中四国地方に位置する地方中枢都市であり，市街地に歓楽街，近郊に山間部及び島嶼部が位置している．年齢別人口分布も全国と広島市でほぼ一致しており，肝硬変の臨床背景についても平均化され全国的な実態の縮図を反映しているものと思われる．

結 語

地方都市における肝硬変の実態について検討した．

57 当院における肝硬変の成因

岡山大学大学院医歯薬学総合研究科消化器・肝臓内科学
安中　哲也　高木章乃夫　岡田　裕之

■ 目　的

肝硬変の成因および病態を解析し，今日の肝硬変診療の動向を把握することである．

■ 方　法

2006年，2011年および2016年のそれぞれ1年間に当科を外来受診もしくは入院した症例から肝硬変症例を抽出し，年代間で比較解析した．保険病名に「肝硬変」，「肝細胞癌」，「食道胃静脈瘤」を含む，もしくは血小板数15万／μL以下のいずれかに合致する症例を肝硬変として抽出した．

■ 結　果

2006年には642例，2011年には1,059例，2016年には1,181例の肝硬変患者が受診していた．原因についてHBVはどの年代も20％強であり年代ごとの差はなかった．HCVは2006年が66.4％，2011年が58.1％，2016年が51.7％と10年間で有意に減少（p＜0.0001）していた．アルコール性は2006年が6.1％，2011年が9.9％，2016年が9.6％と10年間で有意に増加（p＜0.05）し，また非アルコール性脂肪性肝炎(NASH)は2006年が2.2％，2011年が5.7％，2016年が7.5％と10年間で有意に増加（p＜0.0001）していた（図1）．

原因別の年齢中央値はHBVでは2006年で54歳，2011年で60歳，2016年で64.5歳（p＜0.0001），HCVでは2006年で67歳，2011年で69歳，2016年で71歳（p＜0.0001）といずれも有意に高齢化していた．一方，アルコール性では2006年で63歳，2011年で66歳，2016年で66歳（p＝0.088），NASHでは2006年で64歳，2011年で64歳，2016年で66歳（n.s.）と有意な変化を認めなかった．

肝細胞癌合併率（肝硬変症例における肝細胞癌発癌歴ありの割合）は2006年が54.1％，2011年

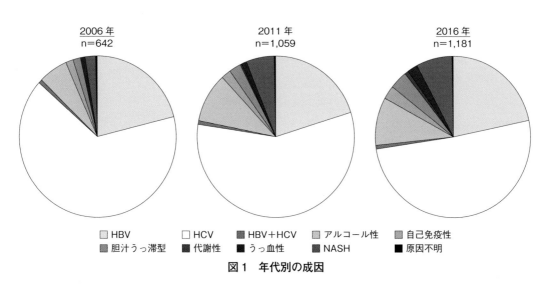

図1　年代別の成因

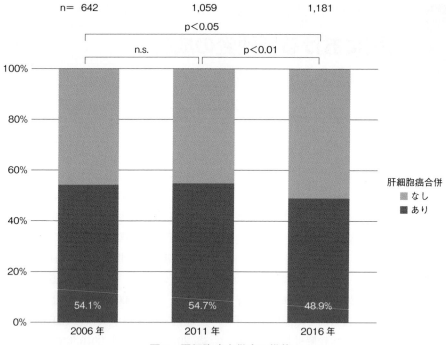

図2 肝細胞癌合併率の推移

が54.7％，2016年が48.9％と10年間で有意に減少（p<0.05）していた（**図2**）。原因別の肝細胞癌合併率ではHBV 349症例のうち59％，HCV 1,046症例のうち65％，HBV＋HCV 14症例のうち71％，アルコール性180症例のうち39％，NASH 116症例のうち34％，胆汁うっ滞性61症例のうち7％，自己免疫性43症例のうち14％であった。

NASH肝硬変の診断法は腹腔鏡下肝生検24％，エコーガイド下肝生検12％，画像診断63％であった。

■ 考　察

HCVによる肝硬変は有意に減少しており，またHBVによる肝硬変に有意な減少はみられないものの経年的に高齢化していた。HBVでは抗ウイルス療法の発達により既存の肝硬変症例がそのまま高齢化していると考えられた。現在の肝細胞癌の主原因であるこれらウイス性肝硬変はいずれも将来的にさらに減少していくことが予想された。一方，アルコール性およびNASHによる肝硬変は増加しており，今後さらに増加していくことが危惧された。

58 当院における肝硬変の成因別実態

岡山市立市民病院消化器内科
湧田　暁子　狩山　和也　大西　理乃　塩田　祥平
古林　佳恵　西村　守　能祖　一裕

背　景

　当院は地方自治体を経営母体とし，ERに重点を置いた急性期病院である。2014年の日本肝臓学会総会ではすでにウイルス性肝硬変は減少傾向にあることが示されているが[1]，当院は以前より市内の他病院と比較して非B非C肝硬変，特にアルコール性肝硬変の割合が高いことが特徴であった[2]。しかし2015年5月に市中心から郊外に移転し，肝硬変の成因も以前と異なっている可能性が考えられ，今回肝硬変の成因について改めて検討した。

方　法

　2012年1月から2017年10月までに肝硬変と診断された515例を旧病院時代（旧）241例，新病院開院後（新）274例に分類し，臨床的特徴を検討した。また新病院開院後入院加療を行った132例について詳細を検討した。

結　果

　外来・入院を含めた旧・新病院別での肝硬変の成因（旧・新（％））はB（5.0・4.4）/C（37.3・23.0）/B+C（0.1・0.0）/アルコール（Alc）（19.5・27.4）/NBNC（含NASH）（34.0・43.0）/AIH（0.2・0.0）/PBC（2.9・2.2）であり，C型が減少しAlcとNBNCが増加していた（図1）。新病院開院後に入院した132例ではB/C/Alc/NBNC/AIH/PBC（％）：6.1/40.1/38.6/9.8/3.8/0.8であった。糖尿病合併率は31.1％で肝細胞癌（HCC）合併率は37.9％，3合以上の飲酒は50％であった。Alcで男性が多く（82.4％），AIH/PBC/NBNCで女性が多かった（80％/100％/76.9％）。年齢の中央値はB型（65歳）・Alc（56歳）が若年であり，C型（70歳）・NBNC（75歳）が高齢であった。HCC合併率はB/C/Alc/NBNC/AIH/PBC（％）：63/57/18/39/

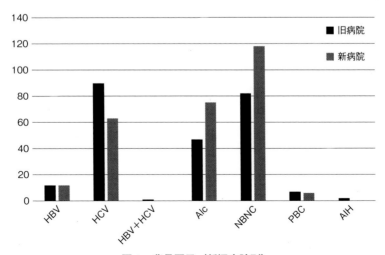

図1　背景因子（新旧病院別）

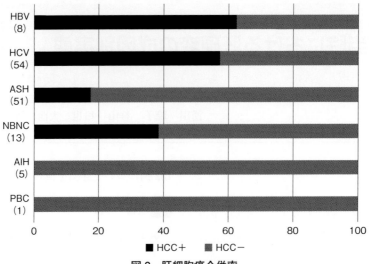

図2 肝細胞癌合併率

0/0であった（図2）。飲酒率はB型62.5%、C型46.3%で、そのうち3合以上の大酒家はそれぞれ25%、24.1%であった。

◼ 考　察

郊外に移転したがアルコール性肝硬変は減少せず、以前の1.5倍に増加していた。救急搬送が1.3倍になったことと心療内科医師の常駐による精神科病院との連携が要因と考えられた。ウイルス性肝硬変でのHCC合併率は約60%であるが、約半数が飲酒しており、4分の1が3合以上の大酒家であったことから、飲酒もウイルス性肝硬変からの発癌に関与している可能性が示唆された。AIc症例は若年であったが、18%にHCCの合併を認めており、診断時には腹部超音波などの画像検査を行うべきと考えられた。

◼ 結　語

C型肝硬変は減少しており、今後はアルコール性肝障害を含めた非ウイルス性肝硬変症例の囲い込みが重要であると考えられた。

参考文献
1) 三宅正展、山本和秀、辻　孝夫、他：肝硬変の成因別実態．肝臓 41：535-537, 2000
2) 肝硬変の成因別実態 2014, 泉　並木監修、医学図書出版、東京、2015

59 肝炎ウイルス感染の歴史的高浸淫地域においても非B非C肝硬変が増加している

*1 佐賀大学医学部肝臓・糖尿病・内分泌内科　*2 同肝疾患センター

秋山　巧[*1]　高橋　宏和[*1]　稲富　千佳[*1]　窪津　祥仁[*1]
吉岡　航[*1]　桑代　卓也[*1]　安西　慶三[*1]　江口有一郎[*2]

はじめに

1990年以降，佐賀県の肝癌死亡者数は年間300～400人を超え，粗死亡率にして40/100,000人年と高く，2018年現在19年連続で最も肝癌粗死亡率が高い都道府県である。さらに佐賀県は，わが国における肝炎ウイルスの高浸淫地域であり，その拠点病院である当院の肝硬変（LC）やLCを背景とした肝癌（HCC）の実態およびその変化は，本邦のLC，HCCの現状を，より鋭敏に反映している可能性がある。今回，当院における直近10年間のLCの成因別実態を明らかにする。

対象と方法

2007年から2016年の10年間に，当院で血液検査や画像診断，病理学的診断を根拠に臨床的にLCの診断がカルテで確認された患者を対象とした。LCの成因と以下の項目について後ろ向きに検討した。1. 成因変遷：2007～2011年の前期と2012年以降の後期に区分，2. 成因別肝発癌率，3. 成因別予後。

結　果

対象は185名。各成因の度数と割合，平均年齢，BMI，Child-Pugh分類（A/B/C）はHBV（n＝7, 3.8％, 57.4歳, 22.8, 4/2/1），HCV（n＝90, 48.6％, 69.4歳, 23.8, 65/25/0），HBV＋HCV（n＝2, 1.1％, 64.5歳, 21.9, 2/0/0），NASH（n＝19：生検12, 10.3％, 63.4歳, 28.6, 11/7/1），アルコール（AL）（n＝31, 16.8％, 61.2歳, 22.9, 17/8/6），PBC（n＝3, 1.6％, 60.5歳, 23.4, 1/2/0），AIH（n＝5, 2.7％, 66.2歳, 24.3, 1/2/2），不明（その他）（n＝28, 15.1％, 69.5歳, 25.9, 18/8/2）であった。67名（36.2％）は初診時に肝癌を合併していた。

1. 成因変遷

各成因の頻度（％, HBV/HCV/HBV＋HCV/AL/NASH/PBC/AIH/その他）は前期76名で（4/59/0/9/7/3/4/14），後期109名で（3/41/2/22/13/1/2/16）で，HCVによるLCが18％減少しALは13％，NASHは6％増加していた（図1）。C型肝硬変において，前-後期間で平均年齢は66.7 vs. 72.1歳（p＜0.05）であり，誕生年は1930年代生まれの世代の割合が前期（40.0％）と比し後期（46.7％）で高く，性別（男/女）は28/17 vs. 17/28（p＜0.05）と変化し，高齢化および女性の割合の増加を認めた。

2. 成因別発癌率

初診時，HCCを合併しないLCからの肝発癌（平均観察期間27.6ヵ月）はHCV 44例中20名，HBV 4例中2名，HBV＋HCV 2例中1名，AL 23例中2名，その他20例中2名に認められた。NASH 16名，AIH 5名，PBC 2名は観察期間中の発癌を認めず，ログランク検定で非B非C-LCはウイルス性LCより有意に発癌率が低かった（p＜0.01）（図2）。

3. 成因別予後

初診時にHCCを合併しないLCからの生存率に関して，HCV＋HBV，AL，NASH，その他の1年生存率（97.6, 75.0, 91.7, 100％），3年生存率（85.7, 45.4, 71.4, 80％）であった。各群に統計学的有意差を認めなかった。

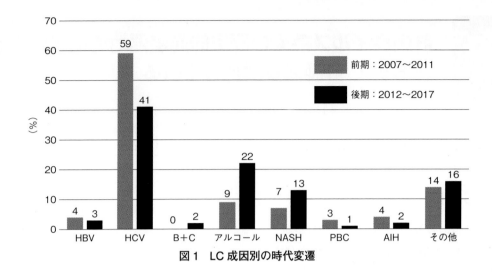

図1 LC成因別の時代変遷

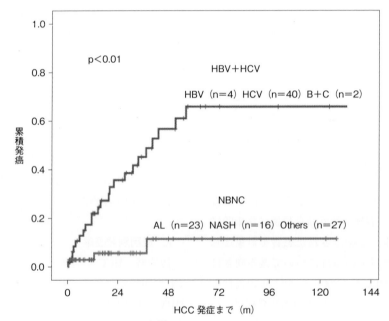

図2 成因別LCごとの肝発癌率
NBNC-LCではAL-LCに2例,不明に2例のHCC発症を認めるのみであった。

■ 考 察

　直近10年間でHCVからのLC患者は18%減少していた。内訳としては平均年齢が前期66.7歳,後期72.1歳であり,前後期を通じて1930年代生まれの世代が感染者の約4割を占めており,時代の経過とともに女性の割合が多くなっていた。

　一方,アルコール性LC(9%→22%)とNASHによるLC(7%→13%)の割合は顕著に増加して いた。アルコール性LCに関しては,わが国におけるアルコール摂取量は1990年をピークとして若干の減少傾向にあるが,現在1日アルコール摂取量150 mL以上の大酒家は全国に約240万人以上,問題飲酒者は300〜400万人以上と推定されており[1],日本人のアルコール総消費量は減少している一方で,大酒家や問題飲酒者は依然として増加傾向であり,当院でも同様の傾向がみられた。

　一方,NASHの原因となる肥満,NAFLDに

関し，NAFLD有病率は1994年から2000年には34.7%に増加したと報告されており[2]，NASH有病率も増加していると推定されるが，平成28年国民健康・栄養調査結果によると，肥満者（BMI≧25 kg/m^2）の推移は，男性31.3%，女性20.6%とこの10年間では有意な増減は認められない。当院ではNASH-LCがこの10年間で増加していたが，疾患認知度の向上や，当院ではNASHに特化した『NASH外来』を2014年に開設した背景から，バイアスが生じている可能性があり，prehospitalにおけるNASH-LCの頻度と変遷についてはさらなる検討が必要である。

肝発癌に関しては，NASHからのHCC発症に関しては，5年間で11.3%とC型LC（5年で30.5%）と比較すると発症率が低いとの報告[4,5]が多い。当院では初診時にHCCを合併していたNASH-LCの患者は19例中3名であったが，NASH-LCの観察期間中（平均観察期間27ヵ月）に発癌は認めなかった。既報と同様にHCV-LCと比較し肝発癌率が低いことを示唆する結果であった。

■ まとめ

肝炎ウイルスの高浸淫地域に位置する当院においても非B非C-LCは増加していた。非B非C-LCは，その大半が，アルコール摂取と肥満という生活習慣の問題を背景にしており，この10年間で慢性肝疾患・LCはウイルスによる感染症から生活習慣病へと成因がシフトしてきていることが確認された。肥満に対する適切な食事指導や運動療法，また大酒家には断酒のために必要に応じて精神科的なサポート体制の構築など，個々の生活習慣への適切な介入が従来以上に必要な局面となってきている。LC患者構成の変化に応じたLC進展に対する介入やHCCサーベイランスの構築と地域への情報発信，均てん化を急がねばならない。

参考文献

1) 谷合麻紀子：アルコール性肝障害の現状. 肝臓 59（7）：312-318, 2018
2) Komeda T: Obesity and NASH in Japan. Hepatol Res 33: 83-86, 2005
3) 平成28年『国民健康・栄養調査』, 厚生労働省
4) Yatsuji S: Clinical feature and outcomes of cirrhosis due to non-alcoholic steatohepatitis compared with cirrhosis caused by chronic hepatitis C. J Gastroenterol Heptol 24（2）: 248-254, 2009
5) Tokushige K: Hepatocarcinogenesis in non-alcoholic fatty liver disease in Japan. J Gastroenterol Hepatol 28（Suppl 4）: 88-92, 2013

60 沖縄県における肝硬変の成因別実態

*1 琉球大学医学部附属病院第一内科 *2 沖縄県立南部医療センター消化器内科 *3 那覇市立病院消化器内科
*4 浦添総合病院消化器内科 *5 なかよし内科クリニック *6 ハートライフ病院消化器内科

新垣　伸吾[*1]　田端そうへい[*1]　星野　訓一[*1]　圓若　修一[*1]　前城　達次[*1]
外間　昭[*1]　藤田　次郎[*1]　大城　武春[*2]　宮里　賢[*3]　普久原朝史[*4]
仲吉　朝邦[*4]　仲吉　朝史[*5]　柴田　大介[*6]　佐久川　廣[*6]

■ はじめに

沖縄県における肝硬変の成因の特徴として全国と比べウイルス性が少なく，アルコール性や非アルコール性脂肪肝炎（NASH）など生活習慣関連肝疾患が多いということをわれわれは報告してきた[1,2)]。今回は2014年以降の肝硬変の成因に関する検討を行った。

■ 対象と方法

2014年1月から2017年10月までの期間に当院および関連施設にて形態学的，臨床的，組織学的に肝硬変と初回診断された848例を対象とした。成因の診断については第54回日本肝臓学会総会の応募要項に従い肝臓専門医テキスト改訂第2版に基づいて行い，成因別頻度，年齢，性差，BMI，肝細胞癌の合併率を検討し，過去に行われた同様の調査結果と比較検討した。軽度ないし中等度の飲酒歴を有しNASHにもアルコール性にも属さないものは「成因不明」に分類した。統計学的にはt検定およびχ^2検定を行い，$p<0.05$を有意とした。

■ 成　績

1. 成因別頻度（図1，図2）

肝硬変848例中，最も多いのはアルコール性で51.9%を占めた。以下，NASH 13.3%，HCV 11.8%，成因不明 9.8%，PBC 5.4%，HBV 3.4%，AIH 1.9%の順であった。NASHの12.4%が組織診断例であった。成因不明例の中で軽度ないし中等度の飲酒歴を有するものは10例（12%）であった。全国と比較してHBV，HCVの割合が低く，アルコール性，NASHが高率であった。2013年の調査と比較すると，アルコール性とHBVが有意に減少，NASHは有意に増加していた。

2. 年齢（表1）

肝硬変診断時の平均年齢は61.8歳で，アルコール性が他の群と比較して有意に若かった。性差では女性が有意に高齢であったが，アルコール性に限っては女性が有意に若い年齢で診断されていた。

3. 男女比（表1）

男性557例（65.7%），女性291例（34.3%）であった。成因別では，アルコール性で圧倒的に男性が多く，NASH，PBC，AIHでは女性が多かった。

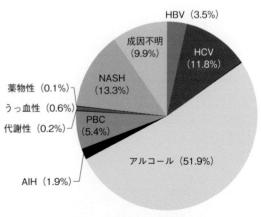

図1　肝硬変の成因頻度

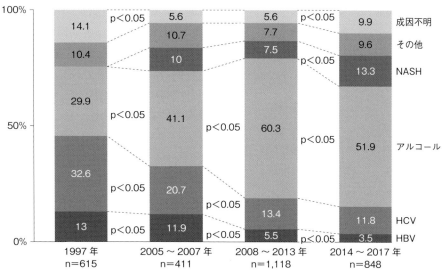

図2 肝硬変成因の経時的変化

表1 成因別背景因子

成因	症例数	男	女	平均年齢	男	女	肝癌合併
HBV	30	25	5	65.6	65.7	64.8	18（60%）※※
HCV	100	56	44	64.2	62.4	66.6	33（33%）
アルコール	440	371	69	56.9※	58.2＊	50.3	54（12.3%）
PBC	46	4	42	69.2	68.8	69.3	0（0%）
AIH	16	0	16	70.3	－	70.3	1（6.3%）
NASH	113	36	77	69.1	67.6	69.8	26（23.0%）
成因不明	84	54	30	68.7	66.5	72.7	22（26.2%）
その他	19	11	8	54.9	51.5	56.9	1（5.3%）
計	848	557	291	61.8	60.3＊	64.8	155（18.3%）

＊p<0.05　※「その他」以外の群全てと有意差あり　※※他の群全てと有意差あり

4. 肝癌合併（表1）

155例（全体の18.3%：男性114例，女性41例）で肝癌合併を認めた。アルコール性が54例と最も多く，以下HBV 33例，NASH 26例，成因不明22例，HBV 18例の順であった。成因別での肝癌合併率は，HBVが60%，HCV 33%，成因不明26.2%，NASH 23%，アルコール性12.3%であった。HBV肝癌合併はgenotypeCや高齢が多かった。肝癌合併例の平均年齢は67歳（男性66.4歳女性68.6歳）で，肝癌非合併例の60.7歳（男性58.8歳，女性64.1歳）より高齢であった。成因別では成因不明（73.2歳）とNASH（71.3歳）で年齢が高く，アルコール性（63.2歳）は低かった。

5. BMI

全体の平均BMIは24.8であった。成因別ではNASHが29.3と他の群と比べ有意に高値であった。肝癌合併群は非合併群に比べ有意にBMIが高かった（25.6 vs. 24.7）。

6. HBc抗体陽性率（表2）

HBc抗体を測定した283例（HBV症例は除く）

表2　成因別HBc抗体陽性率

成因	測定例（人）	HBc抗体陽性例（％）
HCV	27	11（40.7％）
アルコール	152	63（41.4％）
NASH	43	25（58.1％）
PBC	19	4（21.1％）
AIH	10	3（30％）
成因不明	29	21（72.4％）※
その他	3	2（66.7％）
計	283	129（45.6％）

※ NASH，その他以外の群全てと有意差あり

中，129例（45.6％）で陽性であった。成因別では成因不明が72.4％で一番高く，次いでNASH（58.1％）であった。

■ 考　察

沖縄県における肝硬変の成因として最も多かったのがアルコール性（51.9％）であった。しかし2013年の60.9％からは有意に減少しており患者数も減少していた。これは若年層を中心とするアルコール摂取量の経時的な減少との関連や県全体をあげての啓発活動の成果も考えられ，今後アルコール性肝硬変は減少していく可能性はある。2番目に多かったのはNASH（13.3％）であった。2013年と比較して割合，患者数ともに増加していた。沖縄県は肥満人口の割合が全国一高く，今後小児も含め若年層のNASH患者の増加が懸念される。HBV，HCVは2013年と比べ減少していた。核酸アナログ製剤や直接阻害剤（Direct-acting Antiviral Agents：DAA）による治療法の進歩により肝硬変に進行する患者が減少していると思われた。沖縄県はもともと全国と比べウイルス性肝硬変が少ない地域であり，これはHCV抗体陽性率が低いこと[3]，HBs抗原陽性率は全国と比べて高い[4]がHBVキャリアの約60％がgenotypeB[5]で若い年齢でHBeのセロコンバージョンが起こり肝硬変に進展する患者が少ない[6]ことに起因している。肝癌合併率に関しては，ウイルス性肝硬変で高く，NASH 23％，アルコール性12.3％で，2013年との比較では各成因で変化はなかったが肝癌サーベイランスが引き続き重要である。

今回の肝硬変症例でHBc抗体陽性率は45.6％（129/283）と高率であった。中でも成因不明の肝硬変では72.4％と高かった。この中にHBVキャリアから自然経過でHBs抗原陰性化した症例がどのくらい存在するかは不明だが，成因不明の肝硬変ではHBV既感染の関与が示唆される。HBc抗体測定した283例中肝癌合併が64例で，その中でHBc抗体陽性は42例（65.6％）であった。肝癌合併例では肝癌非合併例と比べHBc抗体陽性率が有意に高く（65.6％ vs. 39.7％）発癌への関与も興味深いところである。

■ 結　語

沖縄県における肝硬変の成因は，アルコール性が51.9％と最も高く，続いてNASH 13.3％，HCV 11.8％であった。2013年の調査と比べNASHが有意に増加していた。沖縄県での肝硬変の成因は生活習慣関連肝疾患が大半を占めており，引き続き飲酒習慣や食生活，運動習慣などのライフスタイルの見直しへの啓発が必要である。

参考文献

1) 新垣伸吾，前城達次，佐久川廣，他：沖縄県における肝硬変の成因別実態．肝硬変の成因別実態2008，恩地森一監修，青柳　豊，西口修平，道堯浩二郎編，中外医学社，東京，pp.248-252，2008
2) 新垣伸吾，前城達次，佐久川廣，他：沖縄県における肝硬変の成因別実態．肝硬変の成因別実態2014，泉　並木監修，医学図書出版，東京，pp.58-63，2014
3) 佐久川廣：沖縄県におけるB型肝炎ウイルス感染と慢性肝疾患との関連．感染症学雑誌66（1）：14-21，1992
4) Sakugawa H, Nakasone H, Nakayoshi T, et al: High proportion of false positive reaction among with anti-HCV anti-bodies in a low prevalence area. J Med Virol 46: 334-338, 1995
5) Matsuura K, Tanaka Y, Hige S, et al:

Distribution of Hepatitis B Virus Genotypes among Patient with Chronic Infection in Japan Shifting toward an Increase of Genotype A. J Clin Microbiol 47 (5): 1476-1483, 2009

6) Maeshiro T, Shingo A, Takako W, et al: Different natural courses of chronic hepatitis B with genotypes B and C after the fourth decade of life. World J Gastroenterol 13 (34): 4560-4565, 2007

61 当院における肝硬変患者の実態

佐賀県医療センター好生館肝胆膵内科
大座　紀子　野下祥太郎　古賀　風太　中下　俊哉　河口　康典

■ 目　的

当院における肝硬変患者の成因および臨床背景を明らかにする。

■ 方　法

2012年4月1日から2017年3月31日までの当科外来の初診患者で，臨床所見，画像所見，血清学的検査所見，ないし病理学的診断によって肝硬変と診断された患者の成因および臨床背景を後ろ向きに検討した。肝硬変の成因は応募要領の指定に則って分類し，さらにウイルス性と非B非Cの2群に分けて比較検討した。

■ 成　績

対象となった症例は154例（男性98例，女性56例）。肝硬変と診断された年齢は66.5 ± 12.2歳（男性63.8 ± 11.4歳，女性71.2 ± 12.1歳）であった。肝硬変の成因別の症例数(%)については，ウイルス性（HBV/HCV/HBV＋HCV）14（9.1）/74（48.1）/1（0.6），アルコール性41（26.6），自己免疫性2（1.3），胆汁うっ滞型1（0.6），うっ血性2（1.3），非アルコール性脂肪性肝炎（NASH）7（4.5），原因不明12（7.8）で，全体の57.8%がウイルス性であった（図1）。非B非C肝硬変では63.1%がアルコール性であった。診断に際して肝生検を実施されたのは154例中13例(8.4%)で，肝生検でNASHと診断された症例はなかった。肝硬変と診断される前または同時期に肝癌と診断された症例は52例（ウイルス性40例，非B非C 12例）で，成因別の肝癌合併数（%）は，ウイルス性（HBV/HCV/HBV＋HCV）；4（7.7）/36（69.2）

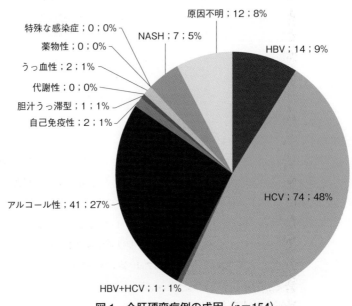

図1　全肝硬変症例の成因（n＝154）

表1　肝硬変診断時に肝癌合併のない症例での成因別の検討（n=102）

	ウイルス性（n=49）	非B非C（n=53）	p-value
年齢（歳）	67.5 ± 10.9	61.0 ± 13.5	0.024
性別（M：F）	24：25	41：12	0.002
BMI（Kg/m^2）	23.9 ± 4.4	25.0 ± 6.5	0.659
AFP（ng/mL）	23.0 ± 3.2	7.3 ± 4.4	0.019
PIVKA-II（mAU/mL）	21.4 ± 9.0	81.4 ± 9.2	0.032
M2BPGi（C.O.I）	8.05 ± 4.17	5.09 ± 4.33	0.333
FIB-4 index	8.20 ± 4.81	7.69 ± 5.67	0.333
APRI	2.76 ± 2.08	2.48 ± 2.41	0.925
Fibro scan（kPa）	24.2 ± 9.3	18.3 ± 7.2	0.128
高血圧症合併 n（%）	19 (38.8)	20 (37.7)	0.914
糖尿病合併 n（%）	10 (20.4)	12 (22.6)	0.784
脂質異常症合併 n（%）	5 (10.2)	6 (11.3)	0.856
Child-Pugh grade A/B/C n（%）	32 (65.3)/14 (28.6)/3 (6.1)	24 (45.3)/15 (28.3)/14 (26.4)	0.012
Child-Pugh grade 悪化までの期間（月）	51.6 ± 42.8	27.4 ± 19.9	0.001
肝硬変診断後の肝癌発症 n（%）	24 (49.0)	4 (7.5)	<0.001
HBV/HCV/HBV+HCV n	5/19/0	—	
アルコール性/自己免疫性/胆汁うっ滞/うっ血性/NASH/原因不明 n	—	2/0/1/0/0/1	

/0 (0), アルコール性；4 (7.7), うっ血性；1 (1.9), NASH；3 (5.8), 原因不明；4 (7.7) で, ウイルス性で有意に多かった（p<0.01）. 全肝硬変症例の累積生存（中央値）は 80.1 ヵ月で, ウイルス性 80.1 ヵ月, 非B非C 95.3 ヵ月で有意差は認めなかった. 肝硬変診断前または診断時に肝癌合併のある症例を除いた 102 例（ウイルス性 49 例, 非B非C 53 例）で検討した結果, 肝硬変診断時の Child-Pugh grade はウイルス性 A/B/C 32/14/3, 非B非C 24/15/14（p<0.05）, 肝硬変と診断された後の発癌がウイルス性 24 例, 非B非C 4 例（p<0.01）, 累積生存（中央値）はウイルス性 169.6 ヵ月, 非B非C 70.0 ヵ月（p=0.066）, Child-Pugh grade 悪化までの日数（中央値）はウイルス性 51.6 ヵ月, 非B非C 27.4 ヵ月（p<0.01）であった（表1）.

考案と結語

当院における直近の過去 5 年間の肝硬変症例の成因は, 全体の 57.8% がウイルス性で最多であった. 非B非C肝硬変では, アルコール性が 63.1% と最多であった. ウイルス性肝硬変と非B非C肝硬変で比較した結果, 肝癌合併率はウイルス性肝硬変で有意に高かったが, 累積生存率に 2 群間の有意差は認めなかった. 非B非C肝硬変は診断時に Child-Pugh grade が不良で, Child-Pugh grade 悪化までの期間が短いことが明らかになった. 初診時に非B非C肝硬変と診断された症例は, 成因によらず慎重な対応が必要である.

62 肝硬変の実態調査：成因別特徴と肝癌危険因子の解析

久留米大学医学部消化器内科
川口　巧　中野　暖　鳥村　拓司

■ 目　的

医療の発展や生活習慣の変化に伴い，肝硬変患者の特徴や肝癌の危険因子も変化しているが，その実態は未だ明らかでない．本研究の目的は，2016年の臨床データに基づき肝硬変の成因別特徴と肝癌の危険因子を検討することである．

■ 方　法

2016年1月～12月に当院を受診した肝硬変患者256名（72.4±9.8歳，男／女159/97）を対象とした．Fib-4 index 3.25以上を肝硬変と定義し，第54回日本肝臓学会ポスターシンポジウムの規定に準拠して肝硬変の成因分類を行った．また，肝硬変成因別の肝癌合併率について検討した．さらに，肝癌の危険因子をロジスティック回帰分析とデータマイニング（random forest解析）にて検討した．

■ 成　績

成因実態調査：肝硬変各成因の平均年齢と肝硬変患者における割合は，HCV 75.1歳/58.6%，HBV 64.9歳/8.2%，HCV＋HBV 61.5歳/0.8%，アルコール性68.1歳/14.8%，NASH 72.0歳/7.8%，胆汁うっ滞型68.1歳/3.1%，自己免疫性68.1歳/1.6%，その他72.6歳/5.1%であった（図1）．HCV肝硬変患者のうち抗ウイルス療法によりウイルス学的著効となった者は32.0%であった．NASH肝硬変のうち肝生検にて診断された者は20%であった．

成因別肝癌合併率：各成因の肝癌合併率は，HCV 87.3%，HBV 85.7%，HCV＋HBV 50%，アルコール性52.6%，NASH 85.0%，胆汁うっ滞型37.5%，自己免疫性25.0%，その他69.2%であった．また，70歳以上の肝癌患者の割合が高い上位3成因はHCV 79.4%，アルコール性80%，その他77.8%であった．

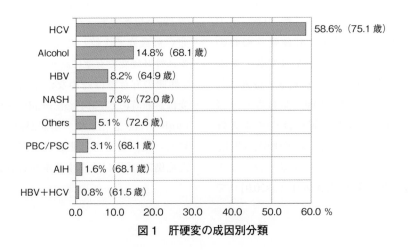

図1　肝硬変の成因別分類

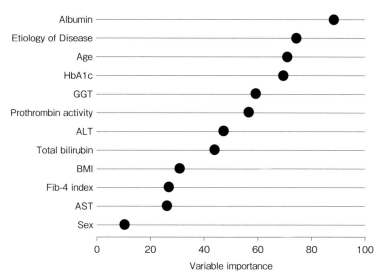

図2　肝癌の危険因子：Random forest解析

肝癌関連因子の検討：ロジスティック回帰分析の結果，肝癌の独立危険因子として，肝硬変の成因（OR 2.4, 95%CI 1.69〜3.07, p<0.01），年齢（unit 1, OR 1.1, 95%CI 1.02〜1.10, p<0.01），アルブミン（unit 1, OR 0.24, 95%CI 0.13〜0.45, p<0.01）が同定された。また，random forest解析の結果，肝癌に寄与する上位3因子は，アルブミン，肝硬変の成因，年齢であった（**図2**）。

■ 結　語

本研究により，HCV/アルコール性/HBV/NASHが肝硬変の主な成因であることが明らかとなった。また，各成因において肝癌合併率が高率であったことは，医療機関の特性が関与すると思われる。成因別肝癌患者の特徴として，HCV，アルコール性とその他は70歳以上の症例の割合が高いことが明らかとなった。さらに，アルブミン値や年齢だけでなく，肝硬変の成因も肝癌に関連する独立因子であることも明らかとなった。

63 当科における11年間の肝硬変症例の臨床的特徴に関する検討

大分大学医学部消化器内科
所　征範　清家　正隆　本田　浩一　織部　淳哉　遠藤　美月
荒川　光江　岩尾　正雄　齋藤　衆子　村上　和成

■ はじめに

肝硬変は慢性肝疾患の終末像であり，肝発がんリスクが極めて高い状態である。肝硬変の診療を行う上で成因と臨床像の把握は極めて重要である。2011年の肝硬変成因別実態調査によると，肝硬変のうちHCV陽性患者は60.9%であった。しかし，新規感染者がいないこととDAAs（direct acting antivirals）治療の進歩によりC型肝硬変の患者数が減少し，非ウイルス性肝硬変の患者が増加したとする報告が多い。そこで最近11年間の当科受診者の肝硬変の特徴を明らかにする。

■ 対象と方法

1. 対象

2007年1月から2017年12月に当院消化器内科外来を受診した患者のうち，肝硬変症，腹水，低アルブミン血症，食道/胃静脈瘤，肝性脳症，肝細胞がんの保険病名を持つ患者768症例のうち，肝硬変と診断した412症例に加え，同期間内に当院消化器内科に肝硬変で入院した561例のうち，外来患者との重複症例を除いた271例を合わせた683例を解析の対象とした。

肝硬変の診断は，①腹水，食道静脈瘤，肝性脳症，黄疸のいずれかの合併，②生検または肝がん手術症例での病理診断，③血小板15万以下かつ画像診断で行った。

2. 調査項目と解析方法

初診日，初診時の年齢，性別，背景肝疾患，初診時の血液・生化学データ，Fib4 index，BMI，肝がん合併率を調査した。背景肝疾患は，HBs抗原陽性をB型肝硬変，HCV抗体陽性をC型肝硬変，両方とも陰性を非ウイルス肝硬変とした。次に自己免疫性肝炎（AIH）と胆汁うっ滞型（PBCまたはPSC）は診断基準により診断した。多量飲酒歴がある場合はアルコール性とし，NASHは診断基準により診断し，原因不明の場合は原因不明に分類した。

本研究は大分大学医学部倫理委員会の承認を得て行った。

解析はSPSS ver.22を用いて行った。2群間の比較はT検定またはχ^2検定，年次推移の検定はJonckheere-Terpstra検定を用いて行った。

■ 結　果

1. 肝硬変患者の臨床背景

調査期間中の肝硬変患者の総数は683例（男性419例，女性264例，初診時平均年齢68.5±10.8歳）であった。B型肝硬変は80例（12%），C型肝硬変337例（49%），HBV+HCV重複感染は4例（0.6%）であった。非ウイルス性肝硬変は262例（38%）であり，アルコール性155例（23%），NASH 26例（3.8%），AIH 20例（2.9%），PBC 17例（2.5%）であった（図1）。肝硬変患者数は，2010年に119例と最も多く，その後は年間70例程度となっていたが，2017年に38例まで減少した。

2. 肝硬変患者の成因の年次推移

図1に肝硬変の成因別の年次推移を示す。アルコールを背景にした肝硬変の割合が2017年は39.5%と増加していた。3年間ごとの解析では，C型肝硬変患者の割合は2007～2008年に50.7%，2009～2011年に60.5%を占めていたが，2012～

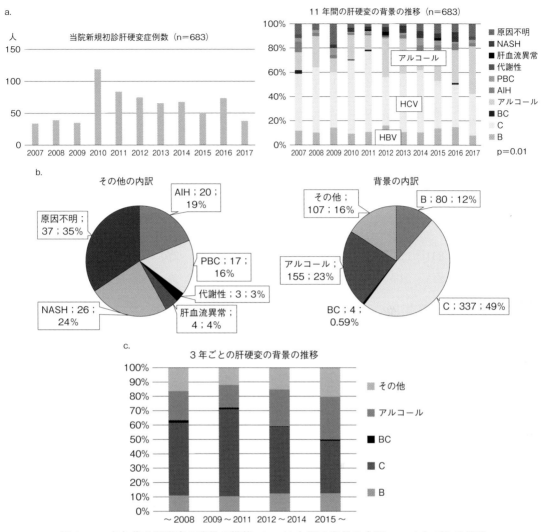

図1 a：各年代の肝硬変の背景の推移，b：11年間の背景の内訳，c：3年ごとの推移

2014年に46.4％，2015〜2017年に36.5％と減少した。B型肝硬変患者数の割合は各年とも10〜12％で大きな変化はみられなかった。一方でアルコール性は2007〜2008年に20.5％，2009〜2011年に16.0％であったが，2012〜2014年に25.8％，2015〜2017年に29.4％と増加し，2017年は39.5％と著明に増加した。NASHは2007〜2008年に0％，2009〜2011年に2.9％であったが，2012〜2014年に5.3％，2015〜2017年に4.9％と増加した（図1）。

3. 肝硬変患者の臨床データの年次推移

表1に臨床データの年次推移を示す。

年齢は2007年から2017年まで，おおむね65歳から70歳の間を推移した。男女比もほぼ60％前後を推移した。NASHの増加がみられたため初診時のBMIを観察したが，肝硬変症例全体ではBMIは23から24の間であり変化はみられなかった。線維化の指標としてFib4 indexとその構成要素である血清AST値，血清ALT値，血小板値を調査した。AST，ALTの有意な増減はみられなかった。血小板数も2015年までは10〜11万で推移していたが，その後増加がみられた（p=0.044）。Fib4 index全体としては，明らかな改善はみられなかった（p=0.20）。各背景疾患の特徴ではアルコール性肝硬変では血小板数が多い

表1 臨床背景の年次推移（上表）と各疾患の特徴（下表）

項目	2007	2008	2009	2010	2011	2012	2013	2014	2015	2016	2017	p value
n	34	39	35	119	84	75	66	68	51	74	38	
Age	66.0	63.9	68.1	70.2	68.9	69.5	70.6	67.6	69.6	65.5	70.0	N.S.
Gender M%	53%	72%	54%	68%	57%	64%	59%	57%	55%	65%	61%	N.S
AST IU/l	68.4	46.2	38.7	48.3	47.9	43.8	37.0	54.5	42.2	54.5	50.0	N.S.
ALT IU/l	82.4	63.9	53.0	64.1	62.4	64.8	50.4	78.7	68.0	70.4	70.9	N.S.
PLT $10^4/mm^3$	9.9	10.3	11.2	11.5	11.7	11.4	10.0	10.6	11.3	13.0	16.0	0.044
Fib4	8.11	7.55	7.16	6.60	7.12	7.72	6.68	7.68	7.60	6.03	5.88	N.S.
BMI	24.3	22.4	23.0	23.1	22.0	23.0	23.0	23.3	23.5	23.8	23.9	N.S.

背景肝疾患	HBV	HCV	アルコール	NASH
性別（男／女）	65/15	176/161	131/24	11/15
年齢（歳）	63.8 ± 10.5	70.8 ± 9.2	65.8 ± 11.3	68.5 ± 12.4
BMI	23.7 ± 3.3	22.7 ± 3.6	22.7 ± 3.9	26.8 ± 5.0
AST（U/L）	47.3 ± 44.3	50.7 ± 36.1	38.9 ± 34.6	48.8 ± 29.2
ALT（U/L）	75.4 ± 84.4	64.0 ± 38.2	64.3 ± 54.6	53.1 ± 21.7
PLT（$10^3/\mu L$）	106.5 ± 51.7	106.8 ± 54.2	125.9 ± 74.8	115.6 ± 52.8
Fib4 index	7.3 ± 5.1	7.4 ± 4.6	6.8 ± 5.2	5.7 ± 3.1
HCC（発癌あり／なし／不明）	65/10/5	290/30/17	80/55/20	19/2/5

ため，年次推移の血小板増加に反映されているものと考えられた（表1）。

4．肝がんの合併率

2007年は6割程度の症例に肝がんを合併していた。その後発癌症例が増加し，2017年は87.1％まで増加した（p＝0.03）。

■ 考 察

当科における肝硬変は肝細胞がんの合併の多い集団であるが，肝硬変患者数は減少，特にC型肝硬変の患者数が減少していた。一方で，非ウイルス性，特にアルコール性肝硬変の比率が増加していた。C型肝炎に対するDAAs治療の進歩と新規感染者がないことなどがその原因と考えられた。代わってアルコール性，NASHといった非ウイルス性の肝硬変が実数，割合ともに増加した。近年，わが国においても，肝がんの背景がウイルス性肝炎に代わり，非ウイルス性肝炎による肝がんが増加していることが示されている[1]。肝がんの発生母地として肝硬変の背景の推移を解析することは，肝がんの高リスク群設定に重要である。また，非ウイルス性肝疾患では肝の線維化の評価が予後に大きく影響することが報告されており[2]，今後，非ウイルス性肝疾患の線維化の評価による管理が必要になると考えられる。

本研究の問題点として，後ろ向きの解析であること，組織診による確定診断でなく臨床的診断で

あり，症例により経過観察期間が異なることがあげられる。また，肝がん治療の拠点である大学病院での解析であり，住民ベースでの肝硬変患者数の推移とは異なることが推察される。非ウイルス性肝疾患は疾患群であるので，今後は各疾患の特徴を明らかにし，対策をたてる必要があると考えられた。

まとめ

当科の11年間の肝硬変症例の解析では，ウイルス性肝硬変，特にC型肝硬変の減少に伴い，肝硬変の患者数は減少していた。一方で，非ウイルス性，特にアルコール性肝硬変の割合が増加していた。非ウイルス性肝硬変はアルコール性に加え，NASHや糖尿病，自己免疫性肝疾患などを背景にした肝硬変が含まれるため，今後多数例で，各背景肝疾患の肝硬変の特徴を解析する必要がある。

参考文献

1) Tateishi R, Okanoue T, Fujiwara N, et al: Clinical characteristics, treatment, and prognosis of non-B, non-C hepatocellular carcinoma: a large retrospective multicenter cohort study. J Gastroenterol 50 (3): 350-360, 2015
2) Vilar-Gomez E, Calzadilla-Bertot L, Wai-Sun Wong V, et al: Fibrosis Severity as a Determinant of Cause-Specific Mortality in Patients With Advanced Nonalcoholic Fatty Liver Disease: A Multi-National Cohort Study. Gastroenterology 155 (2): 443-457, 2018

64 当科における肝硬変の成因別実態

鹿児島大学附属病院消化器内科
森内 昭博　小田 耕平　井戸 章雄

■ 目 的

近年の肝硬変の成因別実態を明らかにするために，当科における過去5年間の肝硬変の成因と臨床的背景について検討した。

■ 方 法

2012年4月1日から2016年3月31日までに当科で入院加療を行った肝硬変318例を対象として，肝硬変の成因，Child-Pugh分類（CP分類）を検討した。成因は「慢性肝炎・肝硬変の診療ガイド2016（文光堂：日本肝臓学会編集）」に基づき1）ウイルス性肝炎（B型，C型，B+C型），2）アルコール性，3）自己免疫性，4）胆汁うっ滞型，5）代謝性，6）うっ血性，7）薬物性，8）特殊な感染症，9）非アルコール性脂肪性肝炎，10）原因不明の10種に分類した。また318例は期間中に655回の入院があり，その入院目的を検討した。

■ 成 績

成因別ではウイルス性肝炎191例（B型29例，C型161例，B+C型1例）(60.1％)，アルコール性81例（25.5％），自己免疫性5例（1.6％），胆汁うっ滞型11例（3.5％），代謝性1例（0.3％），うっ血性4例（1.3％），薬物性0例，特殊な感染症0例，非アルコール性脂肪性肝炎16例（5.0％），原因不明9例（2.8％）であった。また，観察期間中の最終入院時におけるCP分類はA 180例（56.6％），B 94例（29.6％），C 44例（13.8％）であった（図1）。延べ655回の入院で，肝癌の治療を目的としたものが426回（65.0％）と最も多く，次いで静脈瘤治療54回（8.2％），腹水コントロール34回（5.2％）の順であった（図2）。

■ 考 案

当科における肝硬変の成因はHCV，アルコール，

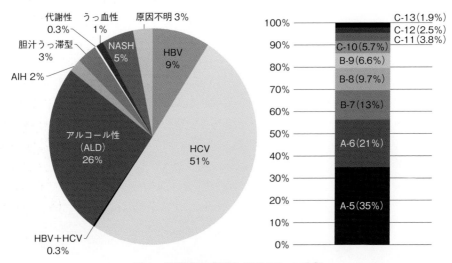

図1　肝硬変の成因と Child-Pugh 分類

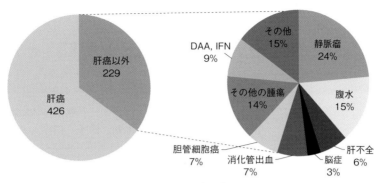

図2 入院目的

HBV の順で，2014年の全国集計と変わらなかったが，アルコールの頻度が高く，飲酒量の多い本県の特徴と考えられた。また，肝硬変患者の入院目的は肝癌の治療を除くと，静脈瘤治療，腹水コントロールおよび脳症の治療などの肝硬変の合併症への対応が中心であった。

結 語

肝硬変の成因としては依然としてウイルス性が多く，今後も潜在的な感染患者の掘り起こしと，抗ウイルス療法の徹底による肝炎ウイルスの撲滅が急務である。また，肝癌に加え肝硬変の合併症での入院も多く，合併症の総合的なマネジメントが必要であると考えられた。

65 当科における肝硬変の成因別実態

熊本大学大学院消化器内科学
吉丸　洋子　田中　基彦　佐々木　裕

■ 目　的

当科における肝硬変の成因別実態を明らかにする。

■ 方法と対象

2003年1月から2017年6月までに当科に入院し，形態学的，臨床的，または組織学的に肝硬変と診断された1,461例（男性948例，女性513例）を対象とし，成因別頻度，年齢，男女比，肝癌合併率を検討した。また，成因別頻度と肝細胞癌合併率においては，2003年～2009年を前期，2010年～2017年を後期として，診断時期別に経時的変化を検討した。

■ 成　績

1. 成因別頻度（図1）

HCV 60.9％が最も多く，次いでHBV 11.9％，アルコール11.2％であった。その他，HBV＋HCV 1.2％，原因不明7.4％，非アルコール性脂肪肝炎（NASH）3.7％，胆汁うっ滞型2.1％，自己免疫性1.0％，代謝性0.4％，うっ血性0.1％，薬物性0.1％であった。診断時期別の検討では，非B非Cの割合が前期20.5％から，後期30.5％へ有意に増加し，特にアルコールおよびNASHが，それぞれ前期7.9％，2.2％から，後期14.1％，5.0％へと，有意差をもってその頻度を増していた。

2. 年齢（中央値）

全体で69歳であり，男女別では男性67歳，女性71歳と有意に女性が高齢であった。主要成因別では，HBV 61歳，HCV 70歳，アルコール68歳，原因不明73歳と，B型が有意に若年であったが，女性のみの検討では，HBV 64歳，HCV 72歳，アルコール61歳，原因不明73.5歳と，アルコールが最も若年であった。

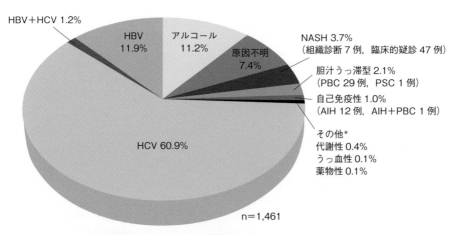

図1　成因別頻度

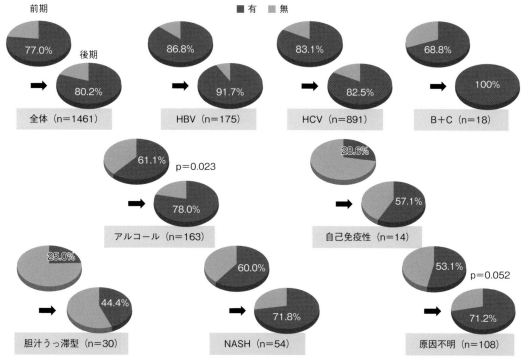

図2 診断時期別成因別肝細胞癌合併率

3. 男女比

全体で男性64.9％，女性35.1％と男性が高率であった。成因別では，HBVで73.7％，HCVで63.6％，アルコールで89.6％，原因不明で53.7％と男性の割合が高く，一方，自己免疫性で71.4％，胆汁うっ滞型で80.0％，NASHで57.4％と女性の割合が高かった。

4. 肝癌合併率（図2）

全体で78.1％に肝癌の合併を認めた。成因別では，HBV 89.1％，HCV 82.8％，非B非C型64.5％であり，非B非C型では，B型，C型より有意に低率であった。さらに非B非C型の成因別に検討すると，それぞれアルコールで72.4％，自己免疫性で42.9％，胆汁うっ滞型で36.7％，NASHで68.5％，原因不明で63.0％と，成因別で差を認めた。診断時期別の検討では，アルコール，NASH，原因不明において，前期の61.1％，60.0％，53.1％から，後期の78.0％，71.8％，71.2％へといずれも増加しており，アルコールでは有意差を認めた。

考 察

既報[1〜3]同様に，当科においても非B非C型の割合が増加していた。一方，肝癌合併が非B非C型において既報より高率であることは，大学病院という専門医療機関の特徴と考えるが，診断時期別の増加傾向には，肝不全や消化管出血に対する医療の進歩により肝硬変であっても長期生存が得られるようになり，肝発癌例が増加していることが影響しているものと推測される。アルコールやNASHにおいては，スクリーニングによる早期発見と治療介入が必要と思われた。

参考文献

1) 肝硬変の成因別実態2008, 青柳　豊, 西口修平, 道堯浩二郎編, 中外医学社, 東京, 2008
2) 我が国における非B非C肝硬変の実態調査2011, 青柳　豊, 橋本悦子, 西口修平, 他編, 響文社, 北海道, 2012
3) 肝硬変の成因別実態2014, 泉　並木監修, 医学図書出版, 東京, 2015

肝硬変の成因別実態 2018
定価（本体 4,500 円＋税）
2019 年 3 月 15 日　第 1 版第 1 刷

監　修　日本肝臓学会
　　　　西口修平
編　集　上野義之
　　　　日浅陽一
　　　　榎本平之
発行者　鈴木文治
発行所　医学図書出版株式会社
〒113-0033　東京都文京区本郷 2-29-8
TEL 03-3811-8210　FAX 03-3811-8236

・JCOPY ＜(社)出版者著作権管理機構 委託出版物＞
本書の無断複写は著作権法上での例外を除き禁じられています．
複写される場合は，そのつど事前に(社)出版者著作権管理機構（電話 03-3513-6969，FAX 03-3513-6979，e-mail：info@jcopy.or.jp）の許諾を得てください．